KV-380-021

N&K

Margrit Schriber

Muschelgarten

Roman

Nagel & Kimche

2. Auflage 1984

Umschlag von Heinz Unternährer
unter Verwendung einer Zeichnung von Hugo Schuhmacher
Gesmtherstellung: Wiener Verlag, Himberg bei Wien
ISBN 3-312-00105-6

Sie aufstauen,
die Jahre,
die von diesen
steinigen Höhen
herabstürzen,
ohne Aufschub.
(Walter Helmut Fritz)

Dort das eine Fenster, das die Straße in Scheiben schneidet, die leere Straße zum Stadttor in die hügelige Landschaft hinaus.
Das wäre ein Thema.
Von der Theke aus sind nur ein Stück Gehweg, Fahrbahn und eine Bordsteinkante zu erkennen. Man muß das sichtbare Pflasterstück im Kopf verlängern. Eine Straße zum Stadttor hinab. Figuren darauf. Auf beiden Seiten Häuserreihen.
Die Bilder, die Platz finden auf einem Scheibenquadrat, wären erwähnenswert.
Oder diese Bar.
Der Wirt, der herumgeht auf Speckgummisohlen, nach allen Seiten sich neigt und grüßt.
Die Bardame, ihre zwei aufgeplusterten Brüste im Maschenstrick. Das pendelnde Goldstück an der Kette vor ihrem Ausschnitt, wenn sie sich vorneigt und die lackierten Finger durchs Münzmeer der Geldbörse streichen.
Wie rosenrot lacht ihr Mund.
Der Name Sunny Linsi fällt. Ist das ihr Name? Und wo ist die Wirtin?
Sie ist abwesend, heißt es. Fort zur Erholung. Sunny Linsi sei der Ersatz. Und dies ist ihr erster Abend. Heute gibt die neue Barmaid ihren Einstand. Das ist der

Grund des Gedränges. Dazu das spärliche Unterhaltungsangebot in diesem Städtchen. Heute treten keine Künstler und keine Redner auf. Das Fernsehprogramm ist nicht vielversprechend.
Was bleibt, das ist die Neue in der Bar.

Der König, der Gast führt einen Becher, einen Kelch, eine Tasse zum Mund. Wartet. Hält eine abwaschbare Preisliste vors Gesicht. Streckt den Finger auf. Gibt Augenzeichen und knackt Chips. Eiswürfel fallen. Gesichter sind auf das Flaschenregal gerichtet. Die Etiketten auf den Flaschen sind den Gesichtern zugedreht. Drei Uhren an drei Wänden machen dieselben unglaublichen Zeitsprünge.
Jemand, irgend jemand richtet den Blick auf die Uhren, die Hammond-Orgel und Rocky-Kids swingenden Brillantineschopf.
Dort das Fenster.
Die sechsgeteilte fahle Pflasterung der Straße. Wo das Scheibenquadrat aufhört und die Vorstellung beginnt, könnte die Wirtin sein, die Abwesende. Sie bewegt sich, sie marschiert zum Stadttor, ohne sich noch einmal nach dem Wirtshausschild umzudrehen.
Eine zweite Figur tritt auf. Sie folgt der ersten. Holt diese am Stadttor ein, hält sie am Arm zurück. Eine dritte, winzige Figur trippelt hinzu, wird von der zweiten auf die Schultern gehoben.
Eine Familie. Da ist sie.
Der Wirt und das Kind und die Frau, auf die jetzt eingeredet wird. Auf dem Parkplatz ihr Auto. Zwei Steinlöwen flankieren das Stadttor. Auf einem Sockel

liegend, bewachen sie die Straße in die hügelige Landschaft hinaus. Der Steinmetz hat Moos und Staub aus den Mähnen geschabt. Die Löwen sind wie neu. Betonhelle Steinaugen starren in die Ferne.

Das Auto rollt auf der gedachten Straße fort.
Wo ein Dorf endet, das andere beginnt, ist nur auf Luftaufnahmen zu erkennen. Die Orte der Umgebung haben keinen Dorfkern. Ihr Mittelpunkt ist die Hauptstraße. Von da führen Nebenwege in die Quartiere. Die Autobahn führt an diesen Dörfern vorbei, ein gleichmäßiges Summen bei Tag und Nacht.
Der Wirt bringt die Frau zu seiner Schwester.
Bei Anna auf dem Land, sagt er, wird es dir besser gehen.
Die Frau sagt nicht nein, sagt nicht ja, starrt durch die Autoscheibe auf die vorübergleitende Böschung. In Abständen hocken Vögel auf dem Zaun, die Klauen um den Maschendraht, und die gläsernen Augenknöpfe auf die Autobahn gerichtet. Früher oder später fällt den Lauernden ein Kadaver zu, den greifen sie sich und fliegen mit dem triefenden Fleischstück fort.
Sie warten. Sie haben ja Zeit.
Es ist früher Sommer. Pollenwolken stieben aus den Bäumen. Wie feiner Schnee rieseln sie über die Autobahn und werden in Wirbeln zur Böschung gefegt. Auf dem Fluß, der um diese Hügel in Schlingen nach Norden zieht, dreht sich ein Pollenbrei unter überhängendem Astwerk durch, deckt in der Biegung die Bucht und das Strandgut darauf mit einem hellgelben Film.

Die Autoscheiben, gestern gewaschen, sind heute nach kurzer Fahrt verstaubt.

Die Tage werden dir rasch vergehen. Ein Monat, zwei Monate, er kommt allein zurecht.
Hinten im Auto sitzt sie, seine Frau neben ihrem Kind.
In der Bar hat er eine Aushilfe angestellt.
Damit du ruhig bist, damit du dich bei Anna erholen kannst.
Eine gute Aushilfe, mehrmals auf dieser Fahrt betont er, wie gut er mit Sunny Linsi zurechtkommen wird. Und die Küche hat er doch immer allein, bis heute allein...
Du kommst allein zurecht, Arnold, natürlich.
Sie nickt zum Vogel auf dem Zaun, der gekrümmten Silhouette am dunsthellen Himmel. Warum stößt er nicht auf das Auto nieder? Er müßte sich nur vom Geländer fallen lassen, hinunter zwischen die Böschungen auf die Autobahn, krachend in die Frontscheibe. Die Autos in ihrer Fahrrinne könnten nicht zur Seite weichen.
Was du dir vorstellst, was du dir ausdenkst.
Der Wirt steuert mit einer Hand, den angewinkelten Arm läßt er aus dem Fenster hängen. In einen sonnigen Morgen hinein, geschaffen für sonnige Gedanken.

Zum Umkehren wäre es jetzt zu spät.
Sie fahren schnell.
Mein Mann fährt immer schnell. Sinnlos als Beifahrer den Bremsfuß gegen den Teppich zu stemmen, zu

Sie sei es doch, die alles vergesse. Dir wird man Schuhe nachschicken müssen. Oder hast du die richtigen Schuhe eingepackt, ein einziges Mal?
Im Rückspiegel seine Augen. Zwei Aquamarine.

Er wird mich nicht vermissen. In der Bar bedient Sunny Linsi. Ellbogen stützen sich auf ihre Theke. Die Gäste lauschen den Melodien von Rocky-Kid, dem Barpianisten, beobachten Sunny Linsi und die Tanzenden im blauen und roten Licht, warten, daß einer eintrete, den sie kennen und in dessen Gesellschaft dieser Abend kurzweilig zu werden verspricht.
Auch die Gaststube ist besetzt. Auch der Saal. Türe auf, Türe zu, im Tabakrauch hocken sie, wie jeden Tag, schreien über die Tische und hauen aufs Holz.
Ich vermisse den Löwen nicht.
Die Gäste nicht und den Löwen nicht.
Sie möchte das ihrem Mann jetzt sagen. Das und noch viel mehr. Hinten im Polster sich aufrichten, zum Erstaunen des Mannes reden, ein für allemal, scharf und entschieden.

Das Auto schert aus. Der Wirt haßt Lastwagen. Sie verdecken die Sicht und behindern die Fahrt. Das Kind auf dem Rücksitz wird gegen seine Mutter geschleudert. Und wie immer beim Druck des winzigen Körpers möchte sie das Kind umfassen, ist starr vor Anstrengung, die Arme nicht um das Kind zu schlingen
Leute, die jede Gelegenheit nutzen, einen andern zu halten, sind Arnold verhaßt.

Liegt dort auf der Fahrbahn eine Katze?
Die Wirtin dreht sich um, strafft sich. Wie zum Hinsehen befohlen, zur Gewöhnung ans Unabänderliche. Im Vorgreifen berührt sie den harten Haarbüschel, der ihrem Mann vom Kragen absteht.
Sie erschrickt.
Es ist nichts. Es war nichts. Nur ein Auspuffrohr. Die Kehrmaschine hat die zerfetzten Leiber dieses Morgens schon von der Fahrbahn gefegt.

Das Straßenstück zu Annas Haus ist jetzt geteert. Siehst du das? Die Veränderung, die neuen Häuser, hast du sie bemerkt?
War der Weg zum Haus der Schwägerin früher gekiest? Sie hat nie darauf geachtet, obwohl sie oft zu ihrer Schwägerin gefahren ist, an der Turnhalle vorbei, den Einfamilienhäusern, dem Obstgarten mit aufgebundenen Bäumchen in Reih und Glied, den Hang zur Kuppe hinauf.
Der Schulweg ihres Mannes.
Hier hat er als Kind an Pfützen gespielt, hat die gefrorene Eisschicht abgehoben und seiner Schwester ins Gesicht geworfen.
Wie heiter seine Stimme, wenn er von jener Zeit erzählt. Annas Heftseiten zu Schiffchen gefaltet, in Pfützen segeln lassen. Mit Anna hinter dem Schulhaus auf die älteren Schüler gewartet und deren Kniekehlen mit Brennesselwedeln gepeitscht.

Immer wieder die Schwester.
In einem langen weiten Hemd kommt sie mit wippen-

den Brüsten auf mich zu, wie in Zeitlupe. Eine Ewigkeit kommt Anna auf mich zu. Unter ihren Schritten knarren die Bohlen. Ich höre sie endlos kommen, durch die Gänge schreiten, über Treppen und um Winkel.

Sie fahren durch das Musterhausquartier und biegen in die Straße zur Kuppe ein. Bei jeder Kurve wechselt das Kind den Fensterplatz. Annas blutrote Buche ist von weitem zu sehen. Am Rand des Dorfes ragt sie über die Giebel. Das Astwerk ist gleichmäßig zu einem Oval geformt. Eine kräftigere Buche sei in dieser Gegend nicht zu finden. Sie ist über hundert Jahre alt. So alt wie das Haus der Schwester. Der Baum steht unter Naturschutz, sein Stamm wird jedes Jahr gemessen und der Umfang in ein Register eingetragen. Er ist jetzt so dick, daß die Geschwister zusammen den Baum nicht umfassen können.

Drei Fensterreihen mit rotgestrichenen Läden ziehen sich über die weiße Fassade.

Dort! sagen der Wirt und die Wirtin gleichzeitig und zeigen dem Kind das Haus. Es zwängt seinen Kopf aus dem Fenster. Nur mit einer Hand steuernd, reißt der Wirt das Kind zurück. Im Rückspiegel trifft sein Blick die Frau.

Im Haus wird Arnolds Name gerufen. Gesungen wird er, gejubelt. Zwei Hunde springen aus dem Flur, und über die Steintreppe mit fliegenden Ohren. Sie jagen am Wirt vorbei, schnellen ihren Kopf zurück, biegen den Leib. Und im Drehen den Boden mit der Flanke beinah

berührend, rasen sie zurück. Das Kind auf den Schultern seines Vaters rudert mit Beinen und Armen. Der Wirt muß stehenbleiben, um es im Gleichgewicht zu halten.
Ein Bellen und Schreien und Toben.

Und da rennt Anna aus dem Haus. Unsere Anna! Hält auf der obersten Treppenstufe ein, wartet, lachend, breitbeinig, die Fäuste in den Taschen der wattierten Samtjacke. Arnold mit dem Kind steigt zu ihr hinauf.
Das Schnappen des Schlosses hinter der Wirtin ist nicht zu überhören. Und sie wollte doch das Bild nicht zerstören: Anna, lachend vor ihrer Haustür, mit diesen ausgebeulten Jackentaschen einer Schwangeren ähnlich. Ihr zugewandt, der Wirt, die Last des trommelnden Kindes auf der Schulter. Und die Hunde mit rudernden Pfoten in der Luft. Bruder und Schwester und Kind, die kleine Familie. Und über allem die roten Zweige der Buche.
Im Hintergrund sie, die Frau. Eine Tasche in jeder Hand.
Ihr Mann muß ihr Abseitsstehen als Vorwurf deuten. Du schaffst einen Graben zwischen dir und meiner Schwester. Was bist du denn Besonderes?
Die Hunde rennen zu Arnolds Frau. Einer stößt die Schnauze gegen ihre Wade. In den hochhackigen Schuhen verliert sie beinah das Gleichgewicht. Hallo, ruft sie. Und lacht. Und stöckelt mit ihren beiden Taschen über den gekiesten Weg.
Schweigend sehen die Geschwister ihr entgegen.

Der Weg wird lang, endlos, da ich gehe und die Geschwister warten. Nie komme ich dort an, nie in meinem Leben komme ich bei Arnold und Anna an.

Alles fällt meiner Frau aus den Händen. An nichts nimmt sie teil. Das schwierige Wesen meiner Frau.
Es stört den Wirt nicht, wenn sie, während er mit seiner Schwester telefoniert, im selben Raum Servietten faltet. Wenn sie mithört, was er über sie erzählt.

Die Wirtin fröstelt. Anna kann es sehen. Die Sonne hat noch keine Kraft. Hinter dickem Mauerwerk ist es kühl. Und die Wirtin trägt ein Seidenkleid.
Ich trage die falschen Schuhe, das falsche Kleid, habe den falschen Gang, das falsche Lächeln.
Anna will ihr die Samtjacke leihen. Arnolds Frau weicht mit abwehrenden Händen zurück. Aber Anna zerrt ihr die Jacke über die Arme. In ihrem Haus soll niemand frieren, keiner soll sagen, daß er in ihrem Haus gefroren habe. Sie faßt im Nacken den Samtkragen, hebt die Schulternähte an, rückt die schlotternde Jacke in Form. Unter der Laterne im Flur muß die Wirtin sich betrachten lassen. Die Hand läßt Anna nicht vom Kragen, umkreist die Schwägerin. In ihrem Griff dreht der Stoff sich zur Schnecke. Im Wunsch sich loszuwinden, schraubt Arnolds Frau sich nur tiefer in Annas Griff. Wir werden, meint Anna, aus dir eine ganz andere machen.

Im rosaroten Salon lassen die Geschwister sich aufs Sofa fallen. Zwischen ausgestopften Vögeln sitzen sie im

Plüsch. Sie füllen den Platz. Sie spreizen die Schenkel, ihre kurzen Beine sind unters Sofa geknickt, die auseinandergeklappten Füße liegen flach auf dem Boden. Beide haben sie den äußeren Arm über das Polster gelegt. Arnolds Hand mit den Grübchen hängt über die rosarote Plüschrolle. So sitzen sie Arnolds Frau schweigend gegenüber.
Einen Moment hat die Wirtin den Eindruck, die Geschwister seien an Hüften und Schultern zusammengewachsen. Auf dem Sofa sitzt eine Mißgeburt mit zwei Köpfen und vier Beinen. Sie betrachtet mich mit Steinaugen, und die Zeit steht still.
Anna fingert Haarschwänze unter ihren Dutt. Die Haare fallen sofort wieder aus dem Knoten. Der Wirt sagt, er hoffe, daß Anna es mit seiner Frau schaffe. Wenn es eine schafft, dann du.

Kein Wort, daß ich, seine Frau, es ohne Hilfe schaffen könnte. Nicht ein Wort.
Will ich in der hügeligen Landschaft bleiben?
Will ich zurück?
Es muß anderes geben, als Gläser füllen, Tag für Tag. Zu Hause fährt das Kind auf dem Dreirad ans Ende der Zinne. Immer hin und zurück. Vom Müllcontainer kommend kann die Mutter das Kind oben auf der Zinne den Kopf durchs Geländer zwängen sehen, das schmale Gesicht zwischen den Eisenstäben.
Hier dieser Garten.
Mit nackten Füßen wird das Kind für einen oder zwei Monate über die abgeschliffenen Steine im Flur patschen. Steht in der offenen Haustür im Sonnenfeld,

mit gekrümmten Zehen, und schaut über den Gartenweg.
Vor dem Gasthaus Löwen ist der Vorplatz geteert. Die Autos der Gäste parken da. Nur auf der Zinne zum Hinterhof stehen ein paar Töpfe mit Blumen und Sträuchern, kümmerliche Pflanzen. Wer hat Zeit, sie zu düngen und zu gießen?
Die Wirtin muß sich den Gästen widmen, muß mittrinken.
Ja, ich habe oft mittrinken müssen. Ich gebe es zu.
Jetzt ist es Sunny Linsi, die Gläser und Flaschen auf die Theke schwingt, als hätte sie nie etwas anderes gemacht. Sie ist es, die tut, als gingen die Blicke in Richtung der straffgezogenen Flimmermaschen ihre Brüste nichts an.
Wäre sie die Wirtin, sie würde, statt zur Schwester des Ehemannes, in einen fremden Erdteil reisen. Eines Katzensprungs wegen würde sie den Platz hinter der Bar nicht räumen. Womöglich für eine andere.

Im Fensterlicht schwenkt Anna eine Karaffe mit Waldbeeren. Sammelt im Sommer Früchte und legt sie in Likör ein. Sie habe so im Winter den Sommer im Likör. Die Beeren rutschen der Glaswand entlang, unendlich langsam kugeln sie umeinander durch den rostbraunen Saft. Zahllose gegen das Glas drückende, am Glas abrutschende Fingerkuppen. So sieht das aus. Beim verzweifelten Trommeln und Pressen ist ihnen alles Blut entwichen. Und unsere Anna hütet den toten Embryo in Formalin. Hält am Fensterkreuz den Behälter in den erhobenen Händen. Zusammengekauert, mit

übergroßen Augen und aufgequollenen durchsichtigen Fingerchen schwebt das Ungeborene durchs Glas, stößt den vorgeneigten Kopf an und dreht sich schwankend zurück.
Die Wirtin steht auf. Sie möchte gehen. Sie hat es sich überlegt.
Du bleibst!
Der Wirt holt aus Annas Schrank drei Gläser. Sorgenvoll starrt Anna in die Karaffe mit den Likörbeeren. Der Schwägerin werde es im Haus auf der Kuppe zu still sein, meint sie. Zu abgelegen. Abwechslung biete nur der Supermarkt. Arnolds Frau werde den Barbetrieb vermissen, die Bewunderer an der Theke, die Unterhaltung des Barpianisten, ihren Gesang am Mikrofon und den Beifall, wenn sie singt. Hier oben hört man nur das Summen der Autobahn. Man beobachtet Sonntagsspaziergänger, Vögel und Insekten. Die Straße wird selten befahren. Manchmal ein verirrter Musterhausbesucher. Meistens aber sind es Siedlungsbewohner, die vorbeispazieren. Selten einer, der über den Zaun weg redet. Weiß deine Frau, wie lange vierundzwanzig Stunden sein können, ohne eine Arbeit, die getan werden muß?
Es gibt keinen Ort, wo meine Frau besser aufgehoben wäre.
Er steckt sich die geschliffenen Kelche zwischen die Finger. Der Aufenthalt bei der Schwester ist die letzte Möglichkeit, die einzige verbliebene Hoffnung.
Es folgt das Versprechen, Arnolds Frau nicht aus den Augen zu lassen. Auf Anna könne der Bruder sich verlassen. Und die Versicherung, die Frau werde An-

nas Ratschläge befolgen. Die Schwester habe freie Hand. Von diesem Tag an und in diesem Haus gelte, was Anna als das Beste für die Frau ihres Bruders betrachte.

Bin ich taub oder stumm, daß die Geschwister über mich weg reden, als müßte das eine dem andern meine Gefühle erklären?
Der Bruder läßt sich von der Schwester das Glas füllen.
Auf die Zukunft!
Die Geschwister beieinander auf dem Sofa. Annas Finger liegen auf Arnolds Schenkel. Ein Ring bedeckt die halbe Hand. Sie spitzt den Mund und wartet auf sein Urteil über den Likör. Er riecht daran. Er küßt die Fingerspitzen.
Wie oft sie schon auf eine Zukunft angestoßen haben. Die Jahre müßten vergoldet sein.
Die Ehefrau gegenüber auf dem zierlichen Stuhl, die Füße um die Holzbeine gehakt, die Arme verrenkt auf dem Tisch. Im Spiegel sieht sie sich. Die Karaffe mit den eingelegten Beeren zertrennt Rumpf und Gesicht.
Eine gespaltene Ahnfrau, goldgerahmt, für Jahrhunderte in einer Haltung erstarrt. Sie hat ihm sein Kind geboren. Der Name lebt fort. Anna, die Schwester, ist ledig. Ihr Zweig stirbt aus.

Das Glas der Wirtin ist leer.
Immer ist ihr Glas gleich leer. Fragend, bittend schiebt sie es zur Karaffe.
Dein wunderbarer Likör, Anna!

Nachbarn baten um das Rezept. Und die Bewohner der Siedlung erbaten es von den Nachbarn. In allen umliegenden Häusern müsse es jetzt solchen Likör geben. Anna zieht lachend den Stöpsel aus der Flasche. Rasch bedeckt der Wirt das Glas seiner Frau mit der Hand. Anna hält ein. Die Karaffe in der Luft, schräg über dem Glas, scheint an den Arm gefroren.
Die Geschwister verständigen sich mit einem Blick. Und die Bewegungen setzen sich fort. Nichts wird verschüttet. Die Hand schwebt fort vom Glas der Wirtin, schwenkt die Karaffe hinüber zum Glas des Wirts und kippt.
Der Bruder kann noch ein Glas vertragen. Der Bruder weiß, wann er aufhören muß.

Über alle Möbel lappt der Zipfel eines Häkeldeckchens. Und Brösel von Trockenblumen sind über die Spitzen verstreut. Der Wirt gibt seiner Schwester den Auftrag, Steinguttöpfe zu kaufen. Im nächsten Winter sollen im Löwen nicht in jeder Vase drei Nelken stehen, teurer eingeflogener Blumenschmuck. Er will sich von seiner Schwester die Töpfe mit Trockenblumen füllen lassen.
Arnolds Frau räuspert sich. Sie beugt sich aus dem Goldrahmen heraus und unterbricht das Gespräch der Geschwister.
Ich werde, sagt sie, Schleierkraut in unsere Sträuße binden. Lockere, duftige Sträuße auf all unseren Tischen. Und neben der Tür unter dem Wirtshausschild ein Kessel voll Kerbel, Disteln, Schafgarben und Rispen. Sie habe ja Zeit zum Sammeln, viel Zeit.

Arnolds Frau plötzlich lebendig. Hat Pläne. Sagt so und so in Annas Haus. Die überraschten Geschwister. Der Wirt schnippt ein Stäubchen von seinem Schuh, sagt auf seine Fußspitze hinab, überlaß das Anna!

Den Kofferraum voll Gemüse und Eingemachtem aus dem Garten der Schwester, einem Rezept ihres Beerenlikörs und eine ziselierte Uhr in der Tasche fährt der Wirt zurück in die Stadt. Schmeichelte der Schwester die Uhr ab mit dem Versprechen, ihr den Hausburschen zur Reparatur eines Ofens und zum Entrümpeln des Kellers zu schicken. Die Uhr wird er zu den andern Sammelstücken legen. Sie vergessen, wie er alles Begehrte vergißt, sobald er es besitzt.
Mit dem Gemüse und dem Eingemachten ergänzt er im Löwen den Speisezettel. Die leeren Kisten bringt er später zurück. Bei jeder Fahrt ist der Kofferraum seines Autos voll. Seine Fahrten scheinen den einzigen Zweck zu haben: Ware von einem Familienbetrieb zum andern zu verschieben.
Der Wirt fährt langsam am Zaun vorbei. Sieht nicht hinauf zum Fenster, wo seine Frau steht. Kinderwäsche im Arm. Verschwindet in der Siedlung auf dem Weg in die Stadt.

Das Dorf habe sich verändert, sagt der Wirt zum König, dem Gast. Dörfer ändern sich wie ihre Bewohner, so daß der Heimkehrende sie nicht wiedererkennt. Die neuen Häuser könnten in jedem Dorf stehen. Die kurze Bauzeit, das ist ihr Stil. Die vorgefertigten, auswechselbaren Bauteile für Flachland und Hanglagen, für Kleinfamilien und hohe Ansprüche können, wie jede andere Ware, nach Katalog bestellt und individuellen Wünschen angepaßt werden. Er habe aber in seinem Dorf, meint der Wirt, am Boden etwas verdient. Der nahen Autobahn wegen eine gute Lage für Supermärkte. Eine Buslinie verbindet die Orte, der letzte Bus fährt um 21 Uhr, ein Hotel gibt es nicht.

Es fiele keinem Fremden ein, in diesem Dorf Ferien zu machen.
Nur sie kamen her, das Kind und die Frau.
In der Ferne sieht sie die Hügel. Die Landschaft ist weit, so weit. Und über mir der Himmel voll Blätter.

Jetzt ist dir leichter ums Herz!
Anna steht plötzlich hinter der Wirtin und kann Gedanken lesen. Wenn ein Ehepartner aus dem Blickfeld schwindet, ist man erleichtert, sagt sie, die Ledige. Die Farben beginnen zu leuchten, als hätte das Licht gewechselt.
Sie stellt sich neben die Schwägerin ans Fenster. Das Zimmer liegt im ersten Stock. Durch die Zweige ist der Garten zu sehen. Er erstreckt sich vom Haus auf dem Hügel in Terrassen bis zur Ebene hinab. Im Garten wächst alles, wie es wachsen will, Blumen und Kräuter, Sträucher und Bäume, Unkraut und Exoten, alles im Überfluß und ohne, daß der Garten eine erkennbare Ordnung hätte. Wo ein Same zu Boden segelt, läßt Anna ihn keimen.
Das tiefe duftende Gras da draußen. Du setzt den Fuß hinein und spürst, wie beim Gehen ein Weg entsteht.

Die Wirtin erschrickt. Sie fährt mit dem Arm durch die Luft. Ein Blumentopf fällt um und zerschellt unten auf einer Gartenbank.
Anna schließt die Augen, lächelt. Sie werde nachher die Scherben aufkehren. Sie gehe gleich. Die Schwägerin soll den Duft tief einatmen, nur auf das Rascheln der Blätter lauschen, das seidene Rapsen.
Das Kind baut schon sein Haus unter die Buche. Einen oder zwei Monate wird es im Halbdunkel des Baumes spielen. Unsere Stimmen werden durch die Blätter kaum nach außen dringen.

Fort zur Erholung.
Das kann vieles bedeuten.
Sunny Linsi hat anderes zu tun, als darüber nachzudenken. Sie prägt sich Kühlfächer ein, die Weinliste, welche Preise einzutippen und wo Kassazettel aufzuspießen sind, wie sie das Telefon umzuschalten und einen Gast auszurufen hat.
Bis jeder ihrer Griffe blindlings sitzt.
Nach dem ersten Abend weiß eine Aushilfe kaum, wo ihr der Kopf steht. Massiert auf dem Bettrand die Beine.
Die Frau fällt ihr ein, deren Platz sie einnimmt.
Wie schön die es jetzt hat. So sorglos, so frei.

Diese Düfte, das Gesumm, diese Farben. Und die Welt bleibt ausgesperrt.
Die Wirtin hört auf Annas Rat und lauscht auf das Rascheln der Blätter.

An einem frischen Morgen werde ich erwachen, auf Moos gebettet, im grünen Licht von Bäumen, hinter Hecken, unter Rosen, zwischen verkrusteten Putten aus Stein und scheckigen Zementpokalen.

Das hohe Bett ist mit der monogrammbestickten Wäsche der Familie bezogen. Die Schwester des Wirts hat die Spielsachen vom Estrich geholt. Rückte das alte Kinderbett zwischen Waschkommode und Tür. Ein Engelsbild hängt an der Wand.
Für ein eigenes Kind sei es, wenn man die vierzig überschritten habe, zu spät, meint Anna.
Meine Kinder, das sind Blumen.
Wie es klingt, wenn die Schwägerin das sagt. Dazu ihr Lächeln, ihr schräggelegter Kopf, der Blick von unten herauf. Das Sich-Hinneigen zum andern und gleichzeitige Wegneigen.
In der Löwenbar würde ein Gast Anna daraufhin einen Drink bestellen. Einer Blumenfrau. Blumenfrauen geht der Gesprächsstoff nie aus. Das Schwärmen von Düften und Farben macht sie lebhaft, ihre Augen sind blank. Das Blumenfrausein steht ihnen. Sie malen mit den Fingern Äste und Blätter in die Luft.
Ihr Lachen verschönt einem verstimmten Gast den Abend. Mit einem Plastikspieß sticht er auf einen Eiswürfel ein. Er sagt, er habe alles satt, so satt. Die Arbeit von einem Jahr für nichts. Er sei Vorsitzender einer Friedenskommission. Nach jedem Gutachten brauche er einen Kognak. Er würde am liebsten auch verreisen.
Er beneidet die Wirtin.

Es stimmt nicht, man hört Anna nicht endlos kommen, endlos über Treppen gehen und um Winkel biegen. Die Bilder täuschen, die man sich von andern macht. Sie bewegt sich leicht und so, als tanze sie. Im Vorübergehen zupft sie an einer Franse, reckt den Arm zu einer Pflanze und riecht an einem Blatt.
Und plötzlich steht sie hinter der Wirtin. Wer weiß, wie lange sie ihr schon beim Einräumen des Schrankes zugesehen hat. In der Muschel ihrer Hand dreht sich die Kurbel einer Spieldose. Anna hat sie auf dem Estrich gefunden. Sie hat dem Bruder gehört. Die Walze dreht sich langsamer und steht still.
Die Straße draußen ist leer, nur Katzen hocken da. Krähen fliegen aus der Blutbuche und kreisen über dem Acker, der früher der Familie gehörte.
Ich sehe hier Krähen, Anna. In der Stadt gibt es keine Krähen. Vielleicht habe ich nur nie den Kopf gehoben. In meinem Blickfeld immer Tischtücher, Weinflecken, halbvolle Aschenbecher. Früher habe ich nie Krähen gesehen.
Den Rock schürzend, als wäre der Boden überflutet, steigt Anna über Koffer und Taschen.
Du sagst «früher». Das sei ein gutes Zeichen, meint Anna. Die Zeit hat einen Sprung. Das bedeute Änderung. Eines Tages schlägst du dir an den Kopf, weil dir einfällt, daß dein ganzes Glück einmal vom Schnalzen eines schlacksigen Jünglings abgehangen ist. Und du kannst nicht mehr verstehen, daß du dich vor deinem kleinen Vater gefürchtet hast. Verwundert erzählst du von der Kinderzeit. Der Zeit, da du ein Schneideratelier besessen hast. Der Brautzeit. Bald schon wirst du von

der Zeit erzählen, «da ich öfter ein Glas zuviel trank». Und du wirst über dich selber lachen.

Anna überblättert den Kleiderberg, zieht einen Rock heraus, hält ihn hoch und wirft ihn zurück auf den Haufen. Sie will wissen, ob es ihrer Schwägerin lieber gewesen wäre, wenn sie das Kinderbett in ihr eigenes Zimmer gestellt hätte? Es würde Anna nichts ausmachen, im Gegenteil. Das Bett läßt sich zerlegen. Sie könnte es ohne Hilfe in ihr Zimmer hinüberschaffen.
Die Wirtin will bei ihrem Kind schlafen. Sagt, sie beobachte es gern im Schlaf, lausche gern seinem Atmen. Im Löwen habe sie dazu nie die Zeit.
Sich eine Bluse an die Brust haltend, sagt Anna, falls du nicht schlafen kannst, hole ich das Kind. Schlaf sei das wichtigste. Ihre Schwägerin brauche sich um nichts zu kümmern. Schlafen. Ruhen. Weiter nichts.

Die Wirtin zwischen ihren Koffern auf Knien.
Im Löwen stehen die Gäste herum mit einem Glas in der Hand. Sie lassen die Flüssigkeit kreisen und denken sich Bilder aus. Der Abend ergibt kein Thema, dieser Tag nicht und die vergangenen Jahre nicht. Sie stehen nun hier und fragen nach dem Sinn. Liegt er vielleicht darin, eine Flüssigkeit in winzigen Schwüngen aus dem Handgelenk über einen Eiswürfel zu drehen? Wir kommen hierher, weil nichts los ist in der Stadt. Weil es in der Wohnung so still ist. Weil soviel zu vergessen ist,

alles was uns dieser Tag, dieses Jahr, dieses Jahrzehnt schuldig geblieben ist. Wir sind Betrogene, alle hier an dieser Bar. Sind hier, um ein paar Stunden in Gesellschaft zu verbringen. Es kommt nur, wer hofft. Wer sich für alle Zeit eingerichtet hat, bleibt zu Hause.
Reden wir von der Öde dieses Städtchens in der Nacht. Nur Kehrricht in Plastik eingebunden, am Straßenrand. Und eine Katze, die diese Säcke aufreißt.
Dem Herrn mit dem Hut ist nicht nach Reden zumute. Er hat den ganzen Tag geredet.
Und die Wirtin nicht da.
Die Gäste starren auf die Scheibenquadrate. Dort ist ein Stück der Straße in die Landschaft hinaus. Dort ist die Wirtin. Sie soll sich bei des Wirts Schwester erholen. Acht Mäusebussarde hocken auf dem Weg. Kadaver werden im Morgengrauen von der Fahrbahn geräumt.

Trinken hilft, denkt die Wirtin. Die andern schwimmen weg, ihre Stimmen kommen wie durch Watte.
Die Likörkaraffe in Annas Salon ist noch fast voll. Die Wirtin geht leise durchs Treppenhaus zum Salon, öffnet vorsichtig die Tür. Doch da sitzt Anna im Rosaplüsch. Anna wacht.
Sie habe Anna gesucht, sagt die Wirtin. Sie benötige für ihre Kleider mehr Platz. Der Schrank ist voll, und noch habe sie nicht alles ausgepackt.
Zusammen gehen sie hinauf ins Zimmer. Schuhe liegen auf dem Boden verstreut. Anna rafft einige zusammen. Dreht die Schuhe an den Riemchen in der Luft. Was hat Arnolds Frau da mitgebracht? Mit solchen Absätzen

kann Arnolds Frau nicht in den Garten, die Stifte bohren sich in den Kies. Sie würde hängen bleiben und sich den Fuß verstauchen. Und dieser Kleiderberg! All die Seidenblusen und engen Röcke. Sie sind unpassend fürs Land. Die Nachbarn würden die Mäuler aufreißen. Wenn sie hinter den Vorhängen auch nicht zu sehen sind, beobachten sie doch jede Bewegung in diesem Garten. Sie würden im Dorf berichten, sie hätten Arnolds Frau gesehen, in geschlitzten Röcken, in Bardamengelump.

Wenn die Eltern das noch erleben müßten. Der bekannte Satz der Geschwister, wenn Unangenehmes passiert. Seinem König, dem Gast, erzählt der Wirt, die Eltern hätten frühmorgens die Feld- und Stallarbeit unter den Knechten und Mägden aufgeteilt, die Mutter am oberen, der Vater am unteren Ende des Tischs. Sohn und Tochter zu ihrer Seite. Am Abend berichtete jeder, wie weit er mit seiner Arbeit gekommen war.

Es würde immer so weitergehen, haben sie geglaubt. Jetzt stehen Fertighäuser auf ihrem Grund und Boden. Nicht genug, daß Arnold jetzt Wirt ist. Und der Hof verkauft. Und das Erbe in Aktienkapital umgewandelt.

Anna hängt vier Kleider von den Bügeln ab.

Wir benötigen Pflegeleichtes. Wir leben hier auf dem Land, nichts soll uns einengen. Haben wir Lust, uns auf den Boden zu setzen, so tun wir es ohne Angst vor Grasflecken und Schmutz. Wir sind beide über das Alter hinaus, da wir uns die Füße an den Boden nageln

ließen, um in einer großartigen Haltung dastehen zu können.
Die Wirtin sagt nichts. Sie schaut aus dem Fenster. Das Kornfeld, das früher der Familie gehörte, ist noch grün. Punkte von Mohnblumen darin. Ein Radfahrer tritt langsam und schwankend sein Fahrrad am Garten vorbei. In dem unübersichtlichen Garten, denkt sie, wird sie sich Annas Blicken entziehen können. Ihren Ratschlägen. Den Lebensweisheiten. Dem was Anna als das Beste für die Frau ihres Bruders erachtet. Draußen hinter den Büschen stellt sie sich taub.
Sie hebt ein Paar Schuhe vom Boden auf, hält sie aus dem Fenster und läßt sie fallen. Der Radfahrer schaut sich um. Die Wirtin hält ein zweites Paar Schuhe aus dem Fenster und öffnet die Hand. Die Schuhe schlagen durchs Geäst und fallen, einer nach dem andern, mit Blättern in den Kies. Die Lenkstange schwenkt um, und scheppernd fällt das Fahrrad auf die Pflästerung.
Was das soll, fragt Anna. Du hast beinah den Radfahrer erschlagen. Wenn Anna sich mit ihrer Schwägerin vertragen soll, darf es keine Launen geben.
Das Vorderrad dreht sich noch immer in der Luft. Die Wirtin schließt das Fenster. Sie steigt über die Taschen und nimmt Anna die abgehängten Kleider aus dem Arm. Alle hängt sie in den Schrank zurück.

Das Rumpeln eines Schubkarrens ist das einzige Geräusch. Der Bauer schiebt den Karren über das Steinpflaster seines Hofs. Unser Hof, sagen die Geschwister immer. Sie meinen den Hof, auf dem sie aufgewachsen sind, den sie nach dem Tod ihrer Eltern verkauft haben.

Bauer Moser bewirtschaftet ihn jetzt. Er stemmt den Schubkarren die Straße herauf. Die Ärmel seines Hemdes sind aufgekrempelt. Hosenträger ziehen im Rücken die Drillich-Hosen weit hinauf, die Stricksocken sind bis zu den Waden zu sehen.
Er bringe den bestellten Sand, ruft er ans Haus hinauf. Anna rennt um die Hausecke, auf ihrer Kehrrichtschaufel liegen die Scherben eines Blumentopfs. Sie deutet mit dem Kopf zur Buche. Der Wäscheständer dreht sich in der Nähe mit flatternder Wäsche. Ein Elektriker bückt sich untendurch, zieht Kabel in gewundenen Gräben vom Haus auf der Kuppe bis hinunter zum Teich. Bauer Moser fährt mit dem Schubkarren über den Zickzackweg.
Aufpassen! ruft Anna.
Die Stühle sind frisch gestrichen. Sie glänzen rot wie die Fensterläden. Die Streben sind mit Silberfarbe lackiert.
Hepp, macht Bauer Moser, wirft sich einen Sandsack über die Schulter und schüttet ihn über dem neuen Sandkasten aus. Danach hilft er dem Elektriker beim Aufstellen der Laterne.
Ob das ein Schloß werden solle?
Ob der Gesamtbundesrat eingeladen sei?
Oder ob seine Augen ihn im Stich lassen?
Das Fräulein Anna hat für Erklärungen keine Zeit, schabt den Dreck von ihren Stiefeln und rennt mit Schnittblumen und Salat ins Haus.
Und am Abend flammen ein halbes Dutzend Ampeln auf. Mosers treten aus dem Stall, können nicht aufhören, den Garten der Nachbarin mit seinen Lichtern zu betrachten. Die Laterne beleuchtet den Eingang zum

Haus. In den sechseckigen Glasglocken krümmen sich die Glühfäden der Birnen. Die Pfade vom Hang zur Ebene hinunter sind punktweise erhellt. Die Ampeln leuchten von unten ins Geäst.
Nie waren die Blätter so fleischig. Ein jedes Blatt wirft einen scharfen Schatten auf das darunterliegende Laub. Dazwischen das verwaschene Schwarz der Zweige auf dem dunklen Hintergrund. Die Staffel der Blattzungen ist unergründlich tief. Die Blätter rieseln über den Betrachter, drohen, ihn unter sich zu ersticken.

Für den Aufenthalt von Arnolds Frau ist alles bereit.

Zum Wohl, Sunny Linsi!
Die Löwengäste feiern keinen Vertragsabschluß, keine Begegnung, kein Projekt. Sie feiern Sunny Linsis Einstand. Mit einem Glas in der Hand stehen sie da, die Gäste, im eigenen Leben, auf den eigenen schmerzenden Füßen.
Ein irgendwie verbrachter Abend. Irgendwie genutzte Zeit.
Solche Abende wären ein Thema. Die verrinnende Zeit. Das Herumstehen. Und warum, wozu?
Zusehen, wie geschickt Sunny Linsi hinter der Theke hantiert. Sonst nichts. Das Kleid rutscht ihr immer über die eine Armkugel. Über der Achselhöhle ist der kurze gegabelte Einschnitt im Polster ihres Fleisches zu erkennen. Dieses winzige Gesäß ihrer Schulter.
Die Gäste verfolgen jede ihrer Bewegungen. Haben nichts anderes zu tun, als die Barfrau anzustarren. Irgendwann rappelt einer sich hoch und streckt die

Hand nach ihr aus. Von einem Kumpan am Hosenboden zurückgezogen, fällt er mit dem Kopf schwer zwischen die Gläser.

In Annas Irrgarten untertauchen, denkt die Wirtin, und nicht mehr zu finden sein. Niemand, der nach mir schreit oder Entscheidungen für mich trifft. Und keiner erwartet, daß ich ihm die Zeit verkürze.
Beim Gehen werde ich nicht mehr auf meine Füße schauen. Ich hebe das Gesicht zu den Wolken. Laufen will ich, springen und mein Kind auf einer Schaukel in den Himmel fliegen sehen.
Zurückkehren als eine andere. Plötzlich glaubt sie daran.

Die Wirtin schläft in einem hohen Bett mit gedrechselten Pfosten. In diesem Bett ist die Schwiegermutter gestorben. Die Geschwister seien früher mit einem Sprung von der Bettvorlage auf die Matratze gehüpft, beide in weißen, zu Boden fallenden Hemden. Vor dem Schutzengelbild haben sie mit gefalteten Händen gebetet. Gib uns heute unser täglich Brot und beim Bäcker Tortenabfall und Meta-Tabletten zum Antrieb des Spielzeugboots. Arnolds Wunschliste wurde länger von Tag zu Tag. Danach der Blick unters Bett. Der Bruder habe immer einen Stock in Griffnähe gehabt. Arnold habe erklärt, für Schutzengel sei es leicht, friedfertig zu sein. Sie hätten keine Schwestern, würden von niemandem geärgert. Das sei das himmlische Leben. Vom irdischen hätten Schutzengel keine Ahnung. Zum Beispiel wie das ist als Mann unter Frauen. Schwestern

ärgern Brüder mit ihrem Dracula-Geheul im Dunkeln. Ein Mann muß sich wehren, an der Quaststrippe ziehen, die Schwester mit dem Stock schlagen, dann erst kann er das Licht löschen und schlafen.
Die Geschwister unter der Spitzendecke, unter der dreißig Jahre später die Wirtin schlafen wird.
Anna hat sie aufgehoben. Als hätte sie immer gewußt, daß Arnolds Frau kommt mit dem Kind.

Hier ist es still.
Wo ist es so still?
Hier werden nachts keine Autotüren zugeknallt. Niemand grölt. Keiner lauert hinter dem Oleander auf die heimeilende Kellnerin, tritt ihr plötzlich in den Weg, zerrt sie am Arm und läßt nicht eher von ihr ab, bis sie schreit und mit der Handtasche um sich schlägt.
Die Wirtin schläft bei offenem Fenster.
Bald wird es mir besser gehen.

Zuerst pfeifen die Amseln. Dann die Finken. Zuletzt die Bachstelzen. Dann steht Anna auf. Das Kind beginnt zu plappern und am hölzernen Gitter zu rütteln.
Auf Zehenspitzen schleicht Anna ins Zimmer der Schwägerin und hebt das Kind aus seinem Bett. Aus dem Badezimmer ist Lachen und Geplauder zu hören. Bald wird die schwere Haustür zurückgepflockt, damit Morgensonne die Steinfliesen erwärmt.
Die Wirtin steht früher auf als an anderen Tagen. Da hat Anna schon eine Stunde im Garten gearbeitet, gebadet und Frühstück gemacht.

Anna kauft doppelt soviel Milch und Butter wie sonst. Der Milchmann fährt sein Auto zur Grenze von Annas Garten, hupt und schiebt die Tür zurück. Frau Moser und Anna steigen in das fahrbare Geschäft, decken sich ein mit Molkereiprodukten, Brot, Wurst, Waschmittel, Gewürzen und Konserven. Nur für große Einkäufe muß Anna zum Supermarkt, fährt zwei- oder dreimal die Woche ans andere Dorfende und ergänzt ihre Vorräte.
Ist es uns hier zu still, haben wir Lust, Leute zu sehen, fahren wir zum Supermarkt.
Die Wirtin meint, sie werde sich an die Ruhe gewöhnen. Sie ist nicht bedrückend. Im Grunde ist es nie ganz still. Der Baum bewegt sich. Die Luftzufuhrleitung im Wasser erzeugt ein blubberndes Geräusch, die Insekten sirren, es gibt viele Vögel, Kirchengeläut und aus dem Autobahngraben Motorengeräusch.
Man ahnt ja nicht, wie geräuschvoll die Natur sein kann, wenn man immer hinter seiner Bartheke steht. Zum Beispiel das Singen einer Gießkanne im Regen, das Dröhnen eines Bienenschwarms oder ein Baum im Sturm, diese Millionen flatternder Buchenblätter. Und die Hunde sind ständig auf Jagd, immer in Bewegung, bellend hinter jeder Katze und jedem Vogel her.
Wir sind nie allein.
Wo wir hinblicken, krabbelt etwas, huscht, witscht fort, fliegt auf. Wir brauchen nur aufzutreten und in die Hände zu klatschen. Nachts sind die Mieter da. Wir hören die Schritte auf der Treppe, wenn sie kommen und gehen.

Einen Teich gibt es im Garten. Fische darin. Das Kind ist aufgeregt. Kauert am Ufer und schwingt die Arme. Wenn Anna eine Handvoll Futter wirft, kämmen Fischflossen durchs trübe Wasser, ein Maul schiebt sich heraus und schnappt das Korn.
Eine Blase, die sich über ein Korn wulstet, so sieht das schnappende Fischmaul aus. Das Kind wird nicht müde, den Fischen zuzusehen. Seerosen blühen, spitze Blütenkörbchen auf einem Blatteller. Die Kaulquappen am Uferrand, diese Samen mit peitschenden Schwänzen, werden später zurückkehren zu diesem Teich und darin laichen.
Immer kehren die Frösche an den Platz ihrer Geburt zurück.

Die fröhlichen Schreie des Kindes.
Auf Zehenspitzen tanzt die Wirtin durchs Haus. Eine steile Holztreppe führt zu den vermieteten Wohnungen und zum Estrich hinauf. Die Mieter, zwei Herren, benützen die Wohnungen nur am Werktag. Früh am Morgen gehen sie aus dem Haus, spät am Abend kehren sie zurück. Übers Wochende fahren sie zu ihrer Familie.
Daß die Wohnungen besetzt sind, merke Anna am Mietzinskonto. Sie vermietet die Wohnungen möbliert, ihre ererbten oder in Brockenhäusern zusammengekauften Möbel müßten sonst im Kellergewölbe lagern. Der Estrich ist mit Kisten, Truhen, Schachteln und Bildern überstellt. Anna hebt alles auf. Im Keller stapelt sie Einmachgläser. Einen Teil des Gewölbes hat sie als Bar eingerichtet.

Will der Wirt mit Anna Geschäfte besprechen, steigen die Geschwister in die Kellerbar hinunter. Die Wirtin wartet im Salon mit dem Kind. Arnold nennt dies «ein Gespräch unter vier Augen». Es gibt Probleme, die er nur mit Annas Hilfe lösen kann.

Annas Schlafzimmer liegt dem Zimmer der Wirtin gegenüber. Die Tür ist angelehnt. Die Wirtin tippt sie mit dem Finger an. Sie schwingt auf in einen kleinen Raum. Er ist mit Rosen tapeziert. Die Vorhänge haben dasselbe Muster. In der Mitte steht ein Himmelbett und füllt das Zimmer fast aus. Ein Baldachin fällt von einem Rondell in Falten zu den vier Bettpfosten. Mit Bändern sind die Tüllwolken zur Seite gerafft und an die gedrechselten Holzsäulen gebunden. Die Rückwand und das Rondell sind verspiegelt.
Die Wirtin ist überrascht. Sie hat sich das Schlafzimmer ihrer Schwägerin anders vorgestellt, nüchterner und weniger frivol. Anna, die das Alleinleben lobt. Die nicht versteht, warum ihr Bruder Arnold heiraten wollte, der dumme Bub. Ihrer Meinung nach hat er sich einfangen lassen, schwach wie alle Männer sind.
Ist deine Braut anziehend, fragt Anna im Löwen den Küchenburschen.
Er findet sie anziehend.
Willst du, daß es so bleibt?
Er will, daß es so bleibt.
Da gibt es nur einen Rat, heirate sie nie.
Doch warum soll eine Alleinstehende nicht in einem Himmelbett zwischen Spiegeln schlafen, und diese weite Matratze unter dem Tüllbaldachin für sich allein

beanspruchen, sich breit machen, quer liegen, links und rechts die Lampe anknipsen, sich zuprosten und aus zwei Gläsern trinken. Ich möchte das auch. Aber da liegt Arnold auf der andern Seite des Ehebetts und füllt den Raum mit seinem Atem.
Die Wirtin schließt leise das Zimmer.

Sie hat die oberen Stockwerke nie besichtigt, ist nie über Nacht bei ihrer Schwägerin geblieben. Es gab dazu keinen Grund.
Sie steigt hinauf in den Estrich. Mit der Stablampe leuchtet sie ihn aus. Die Kuben und Türme erhellen sich, Spinnweben leuchten auf wie von Mehl bestäubt. Sie klettert über Gerümpel. Bleibt mit dem Absatz an einem Bild hängen. Ihr Fuß bricht durch die Leinwand. Sie bläst den Staub von einem Rahmen, eine blinde Spiegelscherbe klebt noch im Holz. Das Bild um den Knöchel, stapft sie umher, kippt Schachteltürme, verschiebt Möbel, öffnet Schubladen und Deckel. Sie findet eingemottete Kleider. Eine Hutglocke liegt obenauf. Sie setzt sie auf und betrachtet sich in der Spiegelscherbe.
Das gesprungene, abblätternde, stockfleckige Gesicht.

Das Licht der Stablampe fällt auf eine Nähmaschine. Sie hat ein Tretpedal, der Näharm ist versenkt. Auf einer solchen Maschine hat die Wirtin Nähen gelernt. Vor ihrer Heirat hatte sie ein Schneideratelier.
Wonach suchst du, ruft Anna durchs Treppenhaus.
Nach nichts, ruft die Wirtin.
Ich gehe nur so durchs Haus.

Der Wirt ruft an. Wie gefällt es euch. Ihr Glücklichen. Er hat viel Arbeit. Trotzdem Zeit für einen Anruf.
Hat jeden Tag für ein Gespräch mit seiner Schwester Zeit. Es gibt noch Familien, Zusammenhalt über die Jahre hinweg. Sie tauschen nicht nur Neujahrswünsche und Feriengrüße. Sie führen ein tägliches Fünfminutengespräch.
In eine wirkliche Familie einzuheiraten, das Glück, das du hattest.
Das Telefon aus Rosaquarz, Wählscheibe und Sprechmuschel aus Messing. Ein Geschenk von Arnold.
Anna lacht zur Decke. Schuhe seien wie reife Früchte durch die Blutbuche gefallen. Das hättest du sehen sollen, Arnold. Die Schuhe deiner Frau. Sie bewegt den Kopf mit dem daran angewachsenen Messinghörer. Und einen Radfahrer beinah verletzt. Sie sagt, sie wolle nichts weiter über die Schuhgeschichte erzählen. Und es gehe uns allen gut.
Die Wirtin nickt. Daran ist etwas Wahres. Wo wäre der Ort, an dem es mir besser ginge. Ich wüßte nicht, in welche Richtung ich marschieren müßte.
Arnolds Schwester sagt, der Mensch geht immer im Kreis. Er irrt rundum und rundum. Er gewinnt nichts beim Gehen. Er verliert seine Kraft. Er marschiert mit dem einzigen Ziel, den ersten Schritt wiederzufinden.
Nadeln zwischen den Lippen, ihr Maishaar über die Hand schlingend, steht Anna mit vorgeneigtem Kopf vor dem Goldrahmenspiegel. Mit Kämmen und Nadeln kann ihr Haar nie ganz gebändigt werden. Ein Gekräusel steht ab und verleiht ihr etwas Wildes.
Es heißt, Anna lege Karten.

Der Teich gefällt der Wirtin. Er liegt unterhalb des Hauses in der Ebene.
In diesem Garten gibt es viele Wege. Sie sind mit Kieseln bestreut, nachts leuchten sie aus der Tiefe der Büsche. Kristalle, Muscheln, Schneckenhäuser, Pyritgestein und Ammoniten säumen die Wege. Sie teilen das Gebüsch in Fächer, in denen der Spazierende sich verliert. Die Wirtin kann immer wieder ihre Richtung ändern. Sie zwängt sich durch ein Dickicht und findet einen Pfad mit neuen überraschenden Ausblicken und Pflanzen, auf dem sie weiterwandern und wieder ausbrechen kann. Ein Park ohne Ende. Fast vergißt die Wirtin, daß sie in einem Garten innerhalb eines Zaunes wandert.
Wenn sie nicht unter der Blutbuche sitzt, geht sie hinter der Schwester ihres Mannes her. Leise summend schafft diese Ordnung. Knipst im Vorübergehen verdorrte Blüten ab, bindet einen Trieb fest, rupft Kräuter. Nie scheint sie müde zu werden. Bis in den Traum hört die Wirtin das Schlappen der Stiefel.
Wie leicht Anna jede Arbeit von der Hand geht.
Sie rede mit einem kümmerlichen Blumenstock, und er beginne Blätter zu treiben. Dem Hund habe sie, als er krank war, die Hände aufgelegt, jeden Tag Kraft auf den Tierleib niederbeschworen. Und der Hund sei gesund geworden.

Die Wirtin beobachtet sie.
Seit ihrer Ankunft beobachtet sie Anna.
Möchte ich Anna gleichen, die hoch oben auf der Leiter sich gefährlich weit über den Abgrund beugt und Moos

von den Ziegeln kratzt? Hinter dem Gebüsch verborgen, staune ich hinauf.
Wenn man sich anders wünschen könnte, wie?
Stark vielleicht? Tüchtig? Mutig?
Ganz allein auf mich kommt es jetzt an.

Wie ich das Schnurren meiner Nähmaschine liebte. Die aufgeworfenen Stoffe, das Geräusch der Schere, die durch Wildseide schnitt, durch Brokat, Samt, Wolle, Mousseline.
Jeder Stoff hat seinen Geruch und seine Eigenschaft. Fühlt sich rauh an oder glatt, flauschig, brettig, zart. Und jeder ließ sich von mir in eine Fasson bringen. Mit Bügeln, Kräuseln, Fälteln und Pikieren zwang ich ihn in eine Form.
Die Eigenschaft der Stoffe ist zu berücksichtigen, Trikot verzieht sich, Thaiseide läßt sich nicht dehnen, Strickgewebe zopft und wellt sich, bei Samt müssen die Schnitteile im Strich aufgelegt werden, und die gemusterten Stoffe sollen im Schnittbild zueinander passen.
Eine Schneiderin lebt in den Augen und Fingern.
Eine Flut Stoff fließt den Kundinnen um den Leib und fällt in Falten auf den Boden. Nadeln im Mund, auf Knien um die Kundin rutschend, modelliert die Schneiderin den Stoff um deren Leib. Sie schafft etwas.

Ist das Kind zu Bett gebracht, sitzen die Frauen im Garten und trinken Kräutertee. Das Licht auf den Gartenwegen wird violett. Immer an anderer Stelle glimmt in der spitzen Wegumrandung ein Pyrit, ein

Kristall oder Granit auf. Die Muscheln und Schneckenhäuser sind von Kalk wie frisch überstäubt.
Drei Wege vereinen sich in der Mitte des Gartens, führen von dort als breiter Weg zum Haus hinauf, trennen sich und umfassen auf beiden Seiten das Haus.
Ein Rosenspalier spannt sich über den Mittelweg. Auf der Bank darunter die zwei Frauen.
Wir sind keine Freundinnen. Wir stehen demselben Mann nahe und müssen uns darum vertragen. Er erwartet es so. Unsere feindseligen Blicke könnte er nicht verstehen, da er keiner von uns feindselige Gefühle entgegenbringt. Wir sind dieses umrankte Bild. Die Schwägerinnen unter dem Rosenspalier. Erwarten miteinander das Ende der Dämmerung.
Die Schwester des Wirts mit einem Hund auf jeder Seite.
Vor uns der abfallende Garten. Im Teich der Mond und schöne bauschige Wolken. Wir warten aufs Einschlafen des Kindes im Zimmer über uns. Die Pausen zwischen seinem Gebrabbel werden immer länger. Bald ist es still. Nur die Äste der Blutbuche schwanken.
Die Frauen gehen ins Haus. Im Garten flammen die Lampen auf. Ein Lachen oder Hundegebell steigt manchmal aus der Siedlung und wird vom Wind zur Kuppe getragen.

Anna holt ihr Tagebuch und trägt den Tag ein. Füllt Seite um Seite mit ihrer sauberen, quadratischen Schrift, die zum Schreiben von Zahlen geeignet ist. Es gibt

Erlebnisse, die es Anna wert scheinen, festgehalten zu werden.
Nichts weiß ich über Anna, nichts.
Für den Löwen führt sie die Buchhaltung, erledigt die Korrespondenz. Der Wirt will nicht, daß ein Fremder Einblick in die Bücher nimmt.
Du, in deiner fahrigen Art, sagt Arnold, würdest Soll und Haben durcheinanderbringen. Auf Anna sei Verlaß.
Sie schreibt, stockt, betrachtet ihre Fingernägel und denkt nach. Es gibt Gutes an diesem Tag. Es gibt Gründe, warum wir aufgestanden sind. Irgendworin liegt ein Sinn.

Sunny Linsi hat sich in der Zwischenzeit eingelebt. Links greift sie nach dem Zitronenschäler, kappt rechts den Verschlußdeckel ab, drückt mit dem Knie die Kühltür zu, bedient mit dem Fuß den Abfallbehälter, schüttelt den Shaker und dreht einen Zuckerfirn ans Glas. Zwischen den Brüsten springt der Champagnerkorken in Sunny Linsis Hand. Sie trägt das Tablett auf den Fingerspitzen. Mit einem Schwung aus der Hüfte stößt sie die Klapptür auf und bringt das Bestellte zu den Tischen. Aus ihrer zurückgebogenen Hand fließt der Champagner in den Kelch. Mit einem Knicks versiegt der Strahl und strömt im Bogen ins nächste Glas.
Sunny Linsis geräuschloses Ballett. Eine Freude, Leuten zuzusehen, die ihr Handwerk verstehen.

Stammgäste fragen nicht mehr nach der Wirtin. Die Aushilfe gehört schon fast zur Ausstattung der Bar.
Und nach Kassenabschluß ist Sunny Linsi noch frisch. Sie schlägt die Einladung des Wirts nicht ab. Einszwei Gläser, einzwei Tänze. Die Stühle ineinanderverschränkt auf den Tischen, und Sunny Linsi dreht sich um des Wirts kleinen Finger.
Die Beeren in der Karaffe sind vom Likör nicht mehr bedeckt. Ein Klumpen, kein Embryo, der erschreckt. Die Wirtin kann den Likör in der Karaffe schwenken, ohne an Totes zu denken.
Auf der Kommode in ihrem Zimmer steht eine Staffel Totenbilder, ein jedes im ziselierten Silberrahmen. Schulfreunde, Nachbarn, Verwandte. Und die Schwiegermutter zur Zeit, da der Dragoner sich in sie verliebte. Trotz ihres Ernstes hat sie ein Flaumgesicht. Auf alten Fotografien haben sie immer dieses flaumige Gesicht.
Und ein Bild der Schwiegermutter kurz vor ihrem Tod. Ein grünes Hütchen mit einer Vogelfeder über dem faltigen Gesicht. In ihrer Haltung ist noch eine Andeutung an die Zeit, da sie die furchtlose Viehhändlerin war.
Im Alter ist sie immer kleiner geworden. Im Sarg unter Blumen war sie etwas Winziges und Zartes. Man fand sie an einem Morgen tot in dem Bett, in dem die Wirtin jetzt schläft.

Ich kenne kein Familienleben, habe nie eines gekannt. Ganz anders mein Mann. Er spricht mit Stolz von seiner Familie. Der bekannten Familie dieser Gegend.

Inhabern von Sitzen in Verwaltungsräten, von Vorkaufsrechten, Wegrechten und Schuldbriefen.
Man erinnert sich, wie die Leute bei den Eltern Rat holten. Wie die Eltern in einer Kutsche als Ehrengäste im Festumzug mitgefahren sind. Wie Annas Schimmel mit gezopfter Mähne ganz an der Spitze den General eskortieren durfte.
Aus diesem Holz, mein Kind, werden Bundesräte geschnitzt.
Ein gutes Elternhaus, eine gute Kinderstube. Wie man das später den Leuten ansehe. Man solche Menschen schon an ihren Tischmanieren erkenne. Sitzen nicht krumm da, legen die Arme um den Teller und schlürfen die Suppe. Werfen das Geld nicht zum Fenster hinaus. Wie die Wirtin für das hundertste Paar Schuhe.
Nein. Arnold hält mir meine Kinderstube nicht vor.
Er bedauert mich nur.

Das Kind gleiche ihrem Bruder immer mehr, sagt Anna.
Bis auf die Nase, wendet die Wirtin ein, die zu klein geratene Nase.
Anna widerspricht. Das Kind kommt ganz nach unserer Familie. Die Art, sein Aussehen, alles. Ganz der Arnold.
Und schnappt dem Kind die Nase weg, hält den Stumpf in der Faust. Das Kind erschrickt, versteckt sich hinter den Beinen seiner Mutter.
Simsalabim, einmal mit den Fingern schnippen, und die Tante hat dem Kind eine neue Nase ins Gesicht ge-

zaubert. Sie ist schmal, nicht zu lang und nicht zu kurz.
Jetzt siehst du wie der Papa aus.
Tante Anna hebt das Kind vor den Spiegel. Zweifelnd schaut es sich an.
Du lügst.
Tanten lügen nie. Tanten zaubern. Auf jede Frage wissen sie die Antwort. Tanten lesen die Zukunft aus Karten. Sie sitzen rittlings auf der Bockleiter und schließen Lampen an. Oder sie liegen unter dem Lavabo, klappern mit Werkzeug und drehen mit der Rohrzange den verstopften Syphon auf. Tanten besitzen große Gärten. Ohne Hilfe stemmen sie Gartenplatten hoch, schaufeln Sand darunter, ebnen die Fläche, prüfen sie mit der Wasserwaage, ehe sie die Platte wieder vorsichtig kippen. Tanten wissen Sprüche wie: «Wenn nichts getan wird, fliegen keine Späne». Ein Blick durch die Polaroidbrille, und Tanten wissen über den Schmuck der anderen Bescheid. Das sind keine Diamanten, das sind Similisteine. Deine Mutter trägt Jahrmarktschmuck.

Die Fabrikgelände links und rechts der Autobahnböschung sind am Sonntag menschenleer. Die Tore zwischen den hohen Gitterzäunen müssen verschlossen sein. Maschinen und Baumaterial lagern auf dem Areal. Reihen von Autos, nach Typen geordnet, bereit zum Verkauf. Die Schutzschicht läßt die Karosserie matt und verwittert erscheinen.
An Sonntagen erwarten Mosers unter dem vorgezogenen Walmdach des Bauernhauses die Spaziergänger. Ihre großen Hände liegen auf dem geblümten

Wachstuch. Sie schauen über die bestellten Felder. Stimmen sind zu hören. Und dann entdecken Mosers die Spaziergänger zwischen der hochstehenden Frucht. Vorerst sind nur die wippenden Schildmützen zu sehen. Dann tauchen über den Ähren die Reklameleibchen auf, und schließlich treten die Wanderer mit ihren Nylonrucksäcken aus dem Weizen. Sie biegen beim Hof in den Weg. Mosers lassen sich von ihnen grüßen.

Ein Wort übers Wetter, über die prallen Geranien in den Töpfen, die Früchte der Arbeit, den ebenmäßigen Turm der gestapelten Holzscheite. Diese saubere und kunstvolle Arbeit.

Ja, sagen Mosers. Man tut, was man kann. Und sie nicken. Mehr fällt ihnen zu den Komplimenten nicht ein. Zwischendurch wendet die Bäuerin in der Küche den Sonntagsbraten.

Auch die Wirtin und Anna treten aus dem Garten. Das Kind zwischen ihnen, wandern sie über den Hügelzug. Die Hunde rennen ihnen voraus. Die Kirschbäume sind unter einem Netz, und in den Beeten flattern Stanniolstreifen.

Am Wegbord die Pflanzen, deren Namen Anna kennt. Die Kinderstimme wiederholt diese Namen. Die Freude, wenn die langen Wörter gelingen.

Und ich greife aus, die feuchte Kinderhand in meiner Hand, als könnte man sein Kind immer so halten und Hand in Hand über alle Hügelzüge dieser Erde gehen.

Doch das Kind reißt sich los, so jäh, daß ich es nicht am Arm zurückhalten kann. Es stürmt das Wiesenbord und

fuchtelt mit dem Finger. Wo die Buche den Himmel ritzt, dort steht das Haus der Tante. Dort wohnen wir. Und so weit, wie der Kinderfinger zeigt, sind wir marschiert.
Sie gingen selten spazieren, erklärt Arnolds Frau. Ihr Mann warte immer ungeduldig an jeder Wegbiegung auf sie und das Kind. Marschiere, wenn sie ihn erreichten, sofort los, mit langen Schritten, die Hände in den Taschen und den Kopf zurückgelegt, als betrachte er die Zweige über sich. Arnold ist nicht geschaffen für Spaziergänge zu dritt, Anna.
Als Arnold noch ledig war, ritt er mit Anna oft über diesen Hügelzug. Man hat hier einen schönen Blick. An klaren Tagen ist die Alpenkette zu sehen.
Alle diese Wege, Kind, sind Reitwege deines Vaters. Was wir sehen, hat er lange vor uns entdeckt.
Eine Vogelscheuche mit tief über den Strohkopf gezogenem Hut steht schief im Feld. Ihre Armbesen sind zerzaust und geknickt. Anna stapft in den Acker, die Wirtin wartet mit dem Kind. Die Hunde rennen einem weggeschleuderten Stock nach. Mit Grashalmen bindet Anna die geknickten Armbesen fest, streift die Ärmel darüber und zupft der Vogelscheuche den Kittel zurecht. Als gehörte das Feld noch immer der Familie, und es wäre ihre Saat, die da geschützt werden muß.
Gehst du nie unter Leute, Anna?
Sie dreht sich im dampfenden Feld und schleudert den Stock, die Hunde jagen hinterher. Doch, sagt sie. Der Supermarkt sei ja nah.
Das Himmelbett mit den Spiegeln fällt der Wirtin ein. Und daß es einen geben könnte, den in diesen Spie-

geln zu betrachten, Anna Freude macht. Ein Mann, mit dem Anna sich als Paar sehen will. Sie wirft für die Hunde den Stock von neuem, weiter mit jedem Schwung, hinüber zum Bach, wo der Stock sich in den Boden bohrt, einen Augenblick wippt und zur Seite fällt.
Sie vermisse nichts. Ich habe alles, was ich will. Sie sei gesund und stark wie ein Pferd. Ihr gehört jener Besitz dort auf der Kuppe. Sie ist unabhängig, hat den besten Bruder der Welt und Hunde, die sie lieben.
Ich und Arnold, wir sind zu zweit allein, sagt die Wirtin.
Anna stapft über den Acker zurück, die Aquamarinaugen, sie richten die Schwägerin. Mein Bruder tut alles für dich, sagt sie. Und du glaubst, du bist allein. Ohne einen Menschen oder ein Tier zum Gernhaben, da wärst du allein. Da hättest du Grund zu klagen.

Anna lacht Tonleitern. Sie sprudelt. Lange hat ihr niemand zugehört. Den Daumen und Zeigefinger zum Schnabel geformt, deutet sie auf ihren Mund oder auf ihre Brust oder sticht damit in die Luft.

Und über uns die Buche.
Nie vergessen die Geschwister, die Buche zu erwähnen. Sie ist das Wahrzeichen der Familie, ist mächtig und stark, ein Familienglied, der Baum der Vorfahren. Dein Vorbild, Kind.
Ein Ast hängt bis über die Eingangstür. Und immer beim Betreten des Hauses spürt die Wirtin diesen Schat-

ten über sich. Als hinge auch hier das Wirtshausschild mit dem Löwen über der Tür, und die Wirtin müßte lebenslang unter einem Löwen durchgehen.
Er schlägt mit seiner Goldpranke nach mir, das ist der Preis, den ich für meine Sicherheit bezahle.

Die Wirtin läßt die Hände über Buchrücken gleiten, über die Sammlungen alter Gläser, Zinnbecher und Puppengeschirr.
Trouvailles. Anna dehnt dieses Wort. Sie läßt es zergehen im Mund.
Wie schaffen es manche Leute, mit traumwandlerischer Sicherheit das Richtige zu wählen? Was die Schwester des Wirts im Brockenhaus und auf dem Flohmarkt findet, die übertünchten Stallschränke, das verkrustete Geschirr, den Tisch im Hühnerhof, das eingerostete Schloß, alles stellt sich später als Trouvaille heraus.
Die Wirtin erkennt die Einzigartigkeit einer Form erst, wenn Anna mit den Fingern einer Rundung des Porzellans folgt. Sie wundert sich, wie Anna einen Beutel aus dem Seidenpapier schält, behutsam, als könnte der Stoff unter ihren Händen brechen.
Mit diesem Ridicule sei die Mutter zum Viehmarkt gegangen. Die Vorfahren leben weiter in den Dingen, die sie hinterlassen. Anna könne darin die Mutter sehen. Ihr Haar ist zu Zöpfen geflochten, sie trägt gehäkelte Baumwollstrümpfe unter drei Röcken. Das Ridicule schwingend schlendert sie über den Marktplatz und kneift in die Rippen einer angepflockten Kuh. Ein

Dragoner springt vom Pferd in eine Pfütze. Mit einem Schrei springt die Viehhändlerin zur Seite. Die weißen Strümpfe unter ihren Röcken sind verspritzt. Sie hätte dem Dragoner liebendgern den Beutel um den Kopf geschlagen. Ein halbes Jahr später ist er ihr Mann.
Anna poliert ein Paar vergilbte Knöpfchenstiefel. Mit alten Dingen, sagt sie, verbindet man sich mit Menschen einer andern Zeit. In diesen Stiefeln ist eine Dame über den Hauptplatz promeniert. Sie hatte gepolsterte Hüften und ein Wagenrad auf dem Kopf. Und aus Annas Porzellantasse hat sie mit abgespreiztem kleinen Finger Schokolade getrunken, ist artig und steif dagesessen und hat das Mündchen gespitzt.
Die Bilder, die Annas Sammelstücke aufleuchten lassen.
Wieviele vor uns wohl diese Gegenstände gegen das Licht gehoben und betrachtet haben. Welche Erinnerungen und Gefühle diese ausgelöst haben. Die Uhrkette aus geflochtenem Frauenhaar zum Beispiel. Das glänzende Haselnußbraun der gezwirbelten Kettenglieder. Für den Sonntagsstaat des Bräutigams das lange Haar der Mädchenzeit abgeschnitten: der Tiefsinn in diesem Geschenk.

Unsere Anna kennt sich aus, sagt der Wirt zu seinem Gast. Unserer Anna gelingt alles. Das tüchtigste Mädchen, das er kennt. Als hätten Klugheit und List von Generationen von Viehhändlern und Bauern sich gesammelt und wären in einem einzigen Menschen zur Entfaltung gekommen.
Wie Arnold im Löwen Reden halten kann.

An der Bartheke lehnt er zwischen Betrunkenen und erzählt von der einmaligen Jugendzeit, der einmaligen Familie.
Wie schafft Anna es, Schwester des Jahres zu sein?

Die Tür fliegt auf, das Kind stürmt in den Salon, bringt die Frische des Gartens mit.
Immer rennt es zwischen seiner Tante und mir hin und her. Ein Luftzug bewegt sein Haar. Welche Anstrengung, ihm das Haar nicht aus der Stirn zu kämmen. Die Kunst der Tiermütter müßte man beherrschen. Zwischen ihren herumpurzelnden Jungen blicken sie gelassen vor sich hin. So gleichgültig zu wirken, das würde Arnold gefallen.
Das Kind ist in die Betrachtung der Karaffe versunken. Bewundert das Sonnengeriesel im Kristall. Und streckt die Arme aus. Das Funkeln will das Kind mit den Händen fangen.
Mein Kind!
Einem Kind stehen alle Möglichkeiten noch offen, Anna. In unserem Alter hat man das meiste verpaßt.
Schlimm sei, meint Anna, sich einzugestehen, daß man aus Unfähigkeit nicht zugegriffen habe.
Das Kind wimmert und stampft. Sein Zorn, weil ihm das Begehrte vorenthalten wird. Wie es darin Annas Bruder gleiche.
Beim Apfelbaum wirft Anna Seile über einen Ast und knotet eine Schaukel für das Kind.
Lange, so scheint es, hat sie auf diesen Augenblick gewartet, hat davon geträumt, daß an diesem Baum ihre alte Schaukel wieder angetrieben wird von einem Kind.

In Stiefeln steht sie im tiefen Gras. Sie schlägt die Fingerspitzen auf ihren Mund, dazu knickt sie in die Knie und dreht den Oberkörper zur Seite. Als wollte Anna sich vor Freude in den Boden winden.
Das Kind pendelt sich zu den Ästen hinauf. Die Wimpel an beiden Seilen sind vergilbte Taschentücher.
An demselben Ast sind die Geschwister durch die Luft gewippt. Arnold in Knickerbockers über die Schwester gebeugt. Anna zwischen den Beinen ihres Bruders. Die Seidenschleifen an ihren Zöpfen wischten, wenn sie sich zurücklehnte, durchs Gras. Über ihr Arnolds geschorener Kopf, der mit den Wolken zog.
Die schöne Zeit mit Arnold. Die Zeit, da man die Geschwister als Paar betrachtete.

Anna deckt den Tisch. Thymiantee dampft in den großen, selbstbemalten Tassen. Wir trinken keinen Wein, keinen Schnaps. Das neue Leben mit Tee hat begonnen.
Und als erstes eine andere Frisur. Wie Anna will die Wirtin eine freie Stirn und einen im Nacken geschlungenen Knoten, holt Bürste, Kamm und eine handvoll Spangen. Rittlings sitzt sie vor dem Goldrahmenspiegel. Anna bürstet ihr das Haar über den vorgeneigten Kopf. Jeden Strich denkt die Wirtin mit. Die Berührung der Brüste ist zu spüren, wenn Anna die Arme hebt und die Bürste durch das knisternde Haar zieht. Die Haarspitzen fallen in einem Schwung von der Bürste und ringeln sich über die Schulter.
Annas Hände. Jahrelang könnte man sich von ihr das Haar bürsten lassen.

Anna sagt, sie habe Einfühlungsvermögen. Viel zuviel Einfühlungsvermögen. Oft strecke sie den Arm nach dem Telefon aus, ehe Arnold es einmal klingeln läßt. Verstaucht der Bruder seinen Fuß, bemerkt die Schwester, daß ihre Beine geschwollen sind. Quetscht er sich den Daumen, entdeckt sie ihren blutunterlaufenen Fingernagel. Ist Arnold erkältet, hat auch Anna Schnupfen. Im Nacken steckt sie Locken, biegt die Spangen mit den Zähnen auf.
Aber wenn du krank bist, meint Arnolds Frau, bleibt Arnold munter, ist ganz vergnügt und hat von deiner Krise keine Ahnung.
Anna beharrt. Wir sind wie ein Zwillingspaar. Doch Arnold würde dies nicht einmal vor sich selber zugeben. Anna hält einen Spiegel über den Nacken, damit die Schwägerin sich von allen Seiten betrachten kann. An ihrem Hinterkopf hängt eine Malagatraube. Dazu die Marrons-glacé-Augen.
Der Bruder beginne, gewisse Fehler einzusehen. Fehler, vor denen Anna gewarnt habe. Die er aber nicht wahrhaben wollte. Jetzt hingegen sehe er es ein, spät, ziemlich spät.
Vom Samtband an der Schrankinnentür hakt Anna goldene, silberne und edelsteinbesetzte Ohrklipse ab. Eilt mit Klipsen und Blumen und Halsketten zwischen Schrank und Schwägerin hin und her. Die ist mit dem straff zurückgekämmten Haar, den nackten rosigen Ohren eine andere: die Maus mit den übergroßen Augen. Anna schlingt ihr die Federboa um den Hals und steckt ihr eine Heckenrose zwischen die Lippen.

Wenn Arnold mich so sehen könnte.
Deine Schwester hat mich für eine Schlachtplatte garniert.

Die Abende sind endlos. Sie sitzen auf dem Plüschsofa zwischen Blumen. Draußen nur das Wispern der Buche. Die Irrwege durch den Garten sind vom Mond beschienen. Einzelne Waben im Altersheim haben Licht.
Für wen trägt Anna den Marabu?
Wer schenkt ihr die Sträuße, die am Balken über der Tür vertrocknen?
Ihr Bruder hat keine Ahnung. Die Geschwister reden nicht von Gefühlen. Sie erwähnen die Blutbuche, das Gemüse, die Aktien, die Nutzungsrechte, die Bilanzen. Meine Fortschritte und Rückschritte werden gemeldet, und das nächste Familienfest wird besprochen.
Die Wirtin war während der fünf Telefonminuten ihres Mannes mit der Schwester oft genug anwesend.
Gäbe es in Annas Leben etwas Wichtiges, würde sie es Arnold wissen lassen. Es gibt keinen Auserwählten. Arnold möchte den kennen, zu dem seine Schwester aufsehen kann.
Denkt der Bruder nie an die unausgefüllten Nächte der Schwester? Wenn sie vor ihrem Tee sitzt und zu jemandem etwas sagen möchte. Aber nur die Hunde sind da, die schrecken aus dem Schlaf, schauen ihr auf den Mund, lassen den Kopf sofort wieder sinken und dösen weiter.

Nur an Festtagen ist Anna mit vielen Leuten zusammen. Feste hält die Familie im Löwen ab. Der Küchenbursche rückt im Saal die Tische zu einem Hufeisen. Anna bringt bemalte Tischkarten mit. Die Verwandten rollen mit ihren polierten Automobilen langsam vom Stadttor herauf. Die Onkel und Tanten halten sich an den Handschlaufen. Mühsam klettern sie von den hinteren Sitzen. Auf dem Löwenplatz strecken sie das Kreuz durch und vertreten ihre Füße. Dann begutachten sie die Kübelpflanzen. Heimlich bohren sie den Finger in die Erde der Blumentöpfe und prüfen die Feuchtigkeit. Den Geranien fehlt meist Dünger. In diese Familie Eingeheiratete verstehen es ja nie, den Besitz zu pflegen oder wertvermehrend mit ihm umzugehen. Die Verwandten schnuppern und stecken den Kopf zur Küche herein, begrüßen Arnold in ihrer trokkenen Art. Er soll nicht etwa aus Verliebtheit ihr Essen versalzen, sagen sie und schließen lachend die Küchentür.
Ihr behäbiges Schreiten. Das Stühlerücken. Das Stillleben der Herrenhüte und Handtaschen. Die Jacken hängen über der Stuhllehne. Ein Gummiband über dem Ellbogen stülpt einen zu langen Hemdärmel zurück.
Arnold im Kreis der Familie. Das Nicken der Kochmütze nach allen Seiten. Das Gelächter. Die mahlenden Kiefer, die fettglänzenden Kinne. Die Wirtin steht weitab.
Ich bin froh, daß einige mich noch immer zum Personal zählen und ich für kurze Zeit mit Bestellungen den Saal verlassen kann.

Arnold weiß, was der Familie schmeckt. Fisch essen sie nicht. Exotische Spezialitäten verabscheuen sie. Sie mögen Schlachtplatten und Braten. Während sie essen und loben, erscheint Arnold. Sein Blick streift mich, wenn ich mich unten am Tischende fortdrücke und mit einem vollen Aschenbecher hinauswieseln will. Arnold setzt sich ans Klavier zwischen den beiden hohen Bogenfenstern. Die Elfenbeintasten sind vergilbt. Kerzen stecken in den gedrechselten Säulen. Im Verlauf der Jahre wurde der Filz von den Hämmern geschlagen, im Resonanzboden ist ein Sprung. Jetzt hat das Instrument einen scheppernden Klang.
Auf einem winzigen Hocker, einen Fuß auf dem Pedal, die Arme ausgestreckt, läßt Arnold den Daumen über die Klaviatur sausen, und dann spielt er den Donauwalzer. Er reiht eine Melodie an die andere. Seine Finger hüpfen die Tonleiter hinauf und hinunter, und das Bier im Humpen auf dem Klavier schwankt. Hinter dem Wirt wippt die Familie im Takt. Anna beginnt zu tanzen. Und plötzlich klatscht und stampft der ganze Saal.
Mein Mann mit entrücktem Gesicht.
So habe ich ihn am Anfang unserer Ehe oft gesehen.
Damals war ich der Grund. Heute ist es nur das Klavier.

Die Nächte im Haus auf der Kuppe.
Die Stunden ohne Schlaf.
Tiere setzen sich auf die Brust. In ihrem dunklen Fell, Bilder der Jahre und Aberjahre.

Sunny Linsi hat das Gesicht, das ihr die Wirtin gibt. Die Wirtin ist das Gesicht im Fotorahmen. Es steht im Büro auf dem Pult des Wirts. Die Wirtin ist ein Puppengesicht mit Perlzähnchen und Marrons-glacé-Augen.
Von der Wirtin keine Nachricht, ich bedaure.
Sunny Linsis gewinnendes Lächeln, wenn sie hinter der Theke, einen Arm in die Hüfte gestützt, diese Auskunft gibt. Der Fragende hat nichts anderes erwartet. Wollte mit der Bardame ins Gespräch kommen. Sie soll wissen, daß er noch immer an die Wirtin denkt. Er ist ein Freund, wie man ihn selten findet, gehört nicht zur Sorte, die hinschaut und vergißt. Auf ihn ist Verlaß. Falls Sunny Linsi jemanden braucht, auf den sie zählen kann, wenn sie auf Freundschaft überhaupt Wert legt, auf Geben und Nehmen, falls sie also einen wahren Freund zu schätzen weiß, der Lebenserfahrung und Reife hat, er würde für immer zu ihrem Gefolge zählen.
Die Drohung im unverwandt auf sie gerichteten Blick. Und wie der Gast die Münzen vor sich auf die Theke zählt, so nah, daß Sunny Linsi sich weit über die Theke vorbeugen muß. Ein Bein in die Luft gestreckt, sucht sie das Gleichgewicht, fast fällt sie über die Gläser, vor aller Leute Augen, ihm, dem möglichen Freund vor die Füße. Sie muß sich die Münzen angeln, sich recken und strecken, die Brüste fast auf der Theke, und das Bein in die Luft gespreizt. Der König, der Gast, mußte sich dieses Geld auch verdienen.

Ein Gefolge, das zählt, sagt Anna.
Eine Bardame mit Anhängern bringt dem Wirt Gewinn.

Sein Gewinn ist ihre Macht. Ihre Macht ist seine Schwäche. Eine Gewinnspanne, nackte Zahlen. Warum sollte Sunny Linsi ihm eines Abends nicht mit Zahlen kommen? So und soviel ist sie wert. Er unterschätzt sie. Sie verlangt eine höhere Umsatzbeteiligung als 13,4 Prozent. 18 Prozent oder ich gehe. Mein Gefolge mit mir. Der Wirt versteht.
Ohne weitere Worte verstehen sie sich.
Manche Gäste hängen Abend für Abend in der Bar herum. Als gebe es keinen andern Platz, an dem sie lieber sein möchten. Sie warten, daß etwas geschieht, irgendwas, für das sich ihr Warten lohnt.
Und hinter der Schranke ist die Bardame, zum Greifen nah. Sie bückt sich, streckt sich und schiebt kirschengarnierte Gläser vor die Gäste hin. Während einige Gäste schon über ihre Gläser stieren, hantiert sie geschickt in ihrem Gehege, behält ein Dutzend Bestellungen im Kopf, rechnet Kassazettel zusammen und biegt den Oberkörper vor einer tapsenden Hand zurück. Die Kühle. Die Niemandsfrau. Mit jedem Glas erscheint sie begehrenswerter. Jede Hand wird eifersüchtig bewacht.
Und dann schlägt der Wirt die Klapptür auf, faßt Sunny Linsi um die Taille und flüstert ihr von hinten ins Ohr.

Jeden Morgen, wenn Anna zupfend durch ihren Garten schlendert, macht auch die Bäuerin sich an ihren Geranien vor den Fenstern zu schaffen.
Guten Morgen, Frau Moser.
Guten Morgen, Anna.

Schönwetter. Schlechtwetter. Jadochja. Nur wissen, man ist da. Ist gesund. Alles ist in Ordnung.
Anna nimmt Arnolds Frau das Gartenwerkzeug aus den Händen.
Ich soll mich ausruhen. Die Arbeit Anna überlassen. Mich nicht über meinen Zustand täuschen.

Früher als sie Schneiderin war, hatte die Wirtin einen Namen.
Das Anfassen der herrlichsten Stoffe der Welt hat mich nicht weiter als in die Bar des Löwen gebracht. Durch eine Aushilfe leicht zu ersetzen.

Immer, wenn ich mich übers Kinderbett beuge, vom Dornröschen erzähle, tritt Anna ein, zupft die Decke zurecht. Dann winkt sie mich aus dem Zimmer und löscht das Licht. Ich, ich trotte ergeben hinterher.

Im Fernsehen rät die Polizei, Haustüren zu verriegeln. Auch bei kurzer Abwesenheit, auch wenn die Bewohner sich im Garten aufhalten. Offene Türen laden Einbrecher ein. In den Sommermonaten nehmen Einschleichdiebstähle zu. In den Dörfern entlang der Autobahn sei ein Einbruch mit raschem Rückzug möglich.
Die Haustür bleibt offen. Anna möchte die Sonne nicht aussperren. Alles Gute ist uns willkommen.
Anna zeigt der Schwägerin ein Flobertgewehr. Sie hat die Waffe im Schrank hinter Röcken versteckt. Arnold habe damit auf Vögel geschossen. Anna besitze die Waffe, seit bei Moser eingebrochen wor-

den ist. Der Dieb konnte gefaßt werden. Er habe nicht mit der Unerschrockenheit der Bäuerin gerechnet. Sie hielt den Dieb mit einem Besen in Schach, bis Moser seine Fäuste auf den Burschen niederschmettern lassen konnte.

In Vollmondnächten flammen die Ampeln im Garten nicht auf. Nur die Laterne vor der Haustür leuchtet die kugeligen Buchsbüsche und die Ornamente des Schmiedeisentors aus. Anna und die Wirtin wandern zum Teich, sitzen eine Weile auf der Steinbank und betrachten im Wasser das Schwanken des Monds. Ein Frosch streckt seinen Kopf aus der Mondlache. Anna schleicht durchs Schilf, um den Frosch besser zu sehen. Wenn Frösche im Teich laichen, werden auch Enten kommen. Der Nistplatz, ein Faß mit einer Öffnung und einem Steg, steht bereit. Ohne eine Ente sei der Teich unvollkommen. Das kleine Haus mitten auf dem Teich erinnert an eine Wiege.
Arnolds Frau will von Anna wissen, ob man so, wie man geboren ist, für alle Zeiten bleiben muß.
Es gebe Beispiele, sagt Anna, daß der Mensch sich ändern könne. In der ersten Phase der Gehirnwäsche gilt es, den Menschen sich selbst zu überlassen. Ist er dann mürbe, kann mit dem Umkrempeln einer Denkweise oder eines Lebensgefühls begonnen werden. Das Produkt ist ein ganz anderer Mensch.
Es wäre besser, er würde sich zwischen Seerosen und Karpfen ertränken.
Anna spritzt Wasser auf den Frosch und lacht.
Ich schrumpfe zu einem Nichts, wenn Anna lacht.

Mit diesem Lachen setzt sie den andern ins Unrecht. Es ist so belanglos, was ihn stört. Gemessen am Universum und seinen Milliarden von Jahren, sagt Anna.
Sie sitzt am Teich und erzählt von Lucy, die vor dreieinhalb Millionen Jahren lebte, dank der wir heute aufrecht gehen. Dann führt sie die Schwägerin am Ellbogen zum Haus zurück. Den Häkelschal hat sie ihr um die Schultern gelegt. Sie ist es dem Bruder schuldig, seiner Frau eine Freundin zu sein. Lebten die Eltern, würden auch sie erwarten, daß ihre Tochter der Schwägerin eine Stütze ist und ihr beisteht in schwieriger Zeit.

Am Lüster hängen Christbaumketten und die Gerippe verglühter Wunderkerzen. Früher Sommer, und Anna hat die Spuren ihrer Weihnacht noch nicht verwischt.
Ihr Bruder hat nicht daran gedacht, Anna zu sich in den Löwen einzuladen. Gastwirtschaft und Bar waren über die Weihnachtstage offen. Eine Feier für Alleinstehende mit heißem Beinschinken und Kartoffelsalat. Rocky-Kid an der Hammond-Orgel. Für jeden Gast ein Werbegeschenk, Portemonnaie oder Feuerzeug mit Aufdruck des Gasthaus Löwen.
Eine Frau schlug plötzlich mit einer Handtasche um sich. Der Wirt richtete seinen Pfefferspray auf ihre Augen. Mit tränenden Augen war sie wehrlos. An den Haaren zerrte er sie auf die Straße hinaus.
Ein paarmal im Jahr gibt es Zwischenfälle. Die Polizei muß selten gerufen werden. Der Wirt wird mit den meisten Querulanten fertig.

Mit ausgebreiteten Armen und Beinen liegt die Wirtin im Bett und starrt zur Decke.
Die Totenstille im Haus. Das milchige Licht hinter dem Tüll. Duft verblühender Blumen. Die Augen der Toten auf den Bildern. In der Keksdose das Radio, bereit für Luftschutzalarm. Die Dose soll verhindern, daß ein NEMP-Schlag die Leiterbahnen verschmort. Anna will in ihrem Luftschutzraum vom Endalarm erfahren können. Hinausklettern und die Verwüstung sehen.
Leute wie Anna fangen sofort mit dem Wiederaufbau an.

Sunny Linsi sehe der Wirtin ähnlich, wird im Löwen vielleicht bemerkt. In halboffener Bluse, geschlitzten Röcken und Goldsandalen sehen im gedämpften Licht alle Bardamen sich ähnlich.
Anstelle der Wirtin verteilt Sunny Linsi auf den Tischen Aschenbecher und Zündholzbriefchen mit Werbeaufdruck des Gasthofs Löwen, füllt Getränkeregale und Kühlfächer auf, begießt den Oleander und führt die Alkoholkontrolle.
Anstelle der Wirtin hat jetzt Sunny Linsi Rauch im Haar. Sitzt am Tisch dem Wirt gegenüber. Hört, seine Frau habe nie die Kasse abgerechnet, oft die Blumen zu gießen vergessen, ihren leeren Teller nie selber in die Küche hinausgetragen, über Migräne geklagt, Pillen geschluckt und das Geld für unzählige Paar Schuhe ausgegeben.
Wird aufgeklärt über dies und das.
Vernimmt, sie fülle den Platz besser aus.
Spätnachts geht unter ihrem Zimmer der Wirt in der

Wohnung hin und her, auf und ab. Sie wischt Schminke ab, wickelt Haar auf, sieht sich im Spiegel in die Augen. Man ist mehr als eine Aushilfe.
Wärst du die andere, sagt sich Sunny Linsi. Statt einer Aushilfe wärst du die Wirtin. Und du gehst jetzt in die Wohnung zu deinem Mann. Du läßt den Pullover über deine Schultern fallen und gleitest nackt unter die Decke.

Das Zittern der Hände. Noch immer.
Mit Mühe gelingt es der Wirtin, den gläsernen Stöpsel geräuschlos aus der Karaffe zu ziehen, ein Glas einzuschenken, ohne einen Tropfen auf dem Spitzentuch zu verschütten.

Auch heute ist das Mittelland wolkenfrei.
Der Bauer mäht Bahn um Bahn. In der Luft ist ein Duft nach Heu. Über dem Teich wimmeln Mückenschwärme. So früh wanderte die Wirtin noch nie um den Teich. Das Licht ist diffus. Das Schilf, die Büsche, die Statuen und Töpfe, alles verschmilzt. Nur mit Mühe ist dieser Garten für mehr als ein verschwommenes Bild zu halten.
Aber da ist schon das Knirschen von Stiefeln im Kies. Anna schreitet ins Bild. Sie hat eine Stange geschultert. An deren Ende hängt ein Netz. Einen Fuß auf einem Stein, der aus dem Wasser ragt, wirft sie Fischfutter in den Teich. Flossen ziehen durchs Wasser auf das Futter zu. Schimmernde Rücken wölben sich heraus, wirbeln im Strudel herum, klatschen und tauchen. Im Teich ist ein Schlängeln und Schnellen von schwarzen Leibern.

Anna taucht die Stange blitzschnell hinein und hebt ein Netz voll Fische heraus. Sie schwingt die Stange übers Schilf. Das Netz sinkt schwer ins Gras. Die ineinanderverschlungenen Leiber zucken und bäumen sich und schlagen mit den Schwänzen.
Anna sagt, Fisch auf den Tisch, greift ins schleimige Geschlinge, holt einen Fisch heraus und schlägt seinen Kopf einigemale auf einen Stein. Das Kind kauert sich daneben und schaut interessiert der schlachtenden Tante zu.
Karpfen blau, sagt Anna und tötet den nächsten Fisch. Gebackener Karpfen. Sie schmettert den Kopf viermal auf den Stein. Fisch an Weißweinsauce. Fisch an Kräutersauce. Anna holt aus. Im Hintergrund die Säule mit dem steinernen David, umwunden von den Blättern der Glyzinie. Eine Libelle und das Huschen der Schmetterlinge durchs verschwommene Bild.
Und das Schlachten in diesem Garten nimmt kein Ende. Die nächste bin ich, denkt die Wirtin. Mein Schädel kracht gegen den Stein. Dann hänge ich über Annas Faust und werde zu den toten Fischen geworfen. Einer neben dem andern liegen wir zwischen den gegrätschten Stiefeln. Die Perlmuttaugen wirken aufgesetzt: kantige, stumpf schimmernde Knöpfe. Die feuchtglänzenden Leiber pulsen noch. Das Kind steckt den Finger in meinen aufgeschlitzten, zuckenden Bauch und jubelt und lacht.

Gegen Nachmittag fährt Bauer Moser seinen Heuwagen in die Wiese. Die scheppernden Rechen schürfen kreuzweise Mahden auf die Ladefläche.

Der große Kerl auf dem federnden Sitz, das Lenkrad zwischen den Knien, man denkt, die Maschine müßte unter ihm zusammenbrechen.
Anna klappt einen Liegestuhl auf, möchte, daß die Schwägerin sich in ihre Nähe setzt. Das Herumstöbern im Haus beunruhigt sie. Arnolds Frau streicht durch Annas Estrichreich, durch ihr Sammelgutreich, kehrt das unterste zuoberst und kramt in den geheimsten Dingen.
Am Rittersporn fliegen Hummeln ein und aus. Die Glocken neigen sich unter dem Gewicht und beben noch eine Weile nach.
Im Wipfel des Baumes sollte man wohnen. Den Körper in den Blättern. Das Rückgrat auf einem Ast und schwanken im Wind.
Mit jedem Blatt hängt ein Bild im Baum.
Wenn man es wünscht, beginnt das Bild sich zu beleben.
Eine Hand steckt eine Rose an den Kragen. Die Schwester des Wirts im Kleid einer Brautjungfer verteilt die Gäste auf Oldtimer. Der Wirt tritt in den Ehestand. Eine Schneiderin, heißt es, ist die Braut.
Die Brautleute sollen am andern Ende des langen Tisches Platz nehmen, der Standesbeamte kann sonst seine Ansprache nicht halten. Und der Mann ist das Oberhaupt. Ihren Couture-Salon hat er vorteilhaft verkauft.
Das Kleid der Brautjungfer ist hell und mit Streublumen übersät. Anna wirkt darin wie eine Braut. Die zukünftige Ehefrau habe das Kleid genäht. Die Hochzeitskleider selber zu nähen, bringe Unglück.

Wo ist die Braut? Sie ist beschäftigt, muß Tanten, Onkel, Neffen, Nichten und Freunde des Bräutigams begrüßen. Kaminfeger wünschen Glück. Die Kavallerie stellt sich vor der Kirche auf. Seidenbänder sind in die Pferdemähnen geflochten. Die Schwester des Bräutigams läßt die Gratulanten reihum aus einer Schöpfkelle Bowle trinken. Ein Zeichen, daß in ihres Bruders Ehe mit der großen Kelle angerichtet werde.

Kaminfeger, Kavallerie, Blumenmädchen sind Annas Einfall. Und die Lebkuchenherzen neben jedem Gedeck hat sie gebacken, dazu Hefezöpfe in Herzform bestellt und den Saal geschmückt.

Bitte sich aufstellen zum Hochzeitsbild!

Im Knopfloch des Bräutigams steckt eine Rose. Sie ist nicht rot, wie die Rosen im Strauß der Braut. Sie ist orange, stammt aus dem Strauß der Brautjungfer. Man könnte die Geschwister für das Hochzeitspaar halten.

Der Fotograf bittet Bruder und Schwester, das Paar, sich zur Sonne zu drehen und freundlich zu blicken, zu strahlen am schönsten Tag ihres Lebens. Der Bräutigam legt seinen Arm um die Schwester, und sie lachen sich an. Die Braut in ihrem mit Schwanenpelz verbrämten Cape, der Seidenorchidee im Haar, steht wie eine Nippfigur zwischen den stämmigen Verwandten. Und da kommt Kaplan Flury. Die Schar zieht in die Kirche ein. Anna lockert die weiße Fuchsstola, kreuzt die Arme mit den langen Satinhandschuhen darüber und stöckelt an der Seite des Nebenbräutigams hinter dem Brautpaar durchs Kirchenschiff. Schulkinder auf der Empore singen zur Orgelmusik, die Anna bestellt hat.

Das Brautpaar soll sich lieben. Und bis der Tod Euch scheidet. Die Familie schneuzt sich und scharrt.

So oder anders.
Im Kopf ist alles möglich, da bin ich immer wieder ein anderer Mensch. Mir geschieht dies oder jenes, ich verhalte mich auf diese oder jene Weise. Und der Gast findet sich in diesem Kopfleben beinah besser zurecht als im rötlichen Licht der Löwenbar. Einem jeden bleibt nur die Wahl, eine Weile noch zu bleiben oder auf die Straße zu treten. Jetzt oder später zurück in ein Zimmer mit einem gewohnten Fensterausblick, zum Fernseher, Wasser- und Stromzähler, zum Kleinkram zurück, den unbezahlten Rechnungen, Frischhaltepackungen und Notizen.
Man möchte soviel und bekommt sowenig.
Die Gesichter und Handrücken sind im roten Barlicht wie gepudert. Dagegen die Fettlichter auf Sunny Linsis Mund. Aus dem Schälmesser ringeln sich Zitronenschalen und legen sich um lackierte Nägel. Nach dem Abendverkauf ist die Bar voll Frauen. Am Wochenende sind Paare da, am Montag Geschäftsleute. Und da kommt das Handballwunder von Gemert. Sieben Tore, Mann, und tags zuvor als Versager abgestempelt.
Sunny Linsi darf einen Longdrink servieren, Shaker und Brüste schütteln. Die Gäste besprechen die üblichen Geschäfte, bauen die bekannten Spannungen ab, bahnen die gewissen Beziehungen an, sie suchen und

leihen ein Ohr. Sunny Linsi hört hingebungsvoll zu, hat den passenden Gesichtsausdruck, die gewohnte Fähigkeit, mit Antworten nichts zu sagen, das Talent, sofort zu vergessen.

Die Wirtin könnte, statt zu trinken, ein Buch lesen. Ein Buch lenkt ab. Im Büchergestell gibt es eine große Auswahl. Die Bücher finden kaum noch Platz, müssen quer auf die Bände gelegt werden. In den Büchern, die Anna gefallen, ist das Vorsatzblatt bemalt. Ein explodierender Kopf oder ein Gesicht mit Feldstecher oder eine Hirnschale, aus der Soldaten marschieren oder Kreuze wachsen. Das Lesen der Inhaltsangabe erübrigt sich.
Die Wirtin hat keine Lust zu lesen. Ihr Mund ist viel zu trocken. Sie könnte sich nicht konzentrieren, müßte jede Seite zehnmal von vorn beginnen.
Sie schlendert umher, findet im Haus die Kellertür und die Estrichtür abgesperrt. Die Likörkaraffe ist weggeschlossen.
Vom Garten herauf das fröhliche Geplauder von Anna. Ihr Gurren, ihr Strecken und Recken.
Die Wirtin läßt sich in den Liegestuhl fallen. Sie tut, als schlafe sie, schaut unter der Armbeuge hervor auf das Flammen von Annas Haar. Das durchleuchtete, rosige Ohr. Die Märzenflecken auf ihrem Nacken.
Erhole dich! sagt Anna.
Ruh dich aus!
Anna macht den Haushalt doch mit der linken Hand, einszwei sind die Zimmer in Ordnung, einszwei ist ein Essen zubereitet, ist die Küche sauber.

Ich erhole mich. Ich liege da wie tot.
Einmal eine Sprengung. Dann nur noch der Singsang des Kindes im Schilf.
Friede.
Baumrauschen.
Und das Kind wartet auf Enten. Durch eine Bresche im Schilf kann es das kleine Faß mit dem Steg sehen. Jeden Tag hält es Ausschau. Auf einem Bein schwankend, stochert es mit seinem Stock in der Öffnung. Nichts rührt sich. In der Dunkelheit des Fäßchens nur das Bullern des Holzes. Enttäuscht drischt das Kind mit dem Stock auf die Wasserfläche ein.
Die Mutter im Liegestuhl. In der Sonne blinkt die Glimmerzeichnung des Pullovers auf.
Wir brauchen, lacht Anna, wenn du im Garten sitzt, keine Stanniolstreifen gegen die Vögel.
Das Kind schreit und reckt den Stock zum Himmel. Ein Mäusebussard zieht seine Kreise über dem Teich.
Enten haben kurze Flügel, erklärt die Tante. Wie Zakken schwirren die Flügel am schweren Leib und treiben ihn in einer geraden Flugbahn zum Wasser.
Mit der Zehe die Wade schabend, schaut das Kind zum Vogel, der ohne Flügelschlag durch die Luft segelt.

Die Fenster stehen offen. Im Garten ist dann das Läuten zu hören. Die Wirtin darf nicht vergessen, die Fenster immer zu öffnen.
Wir wollen erreichbar sein. Wenn einmal jemand unsere Nummer wählt, wollen wir antworten können.
Beim ersten Klingeln rennt Anna zum Telefon und ruft

ihren Namen in den Hörer. Arnold fragt nach uns. Oder eine Person, die Annas Stimme verändert klingen läßt, aufgeregt, schmeichelnd, von Kicksern durchsetzt. Anna neigt den Kopf und schaut auf ihre Fußspitze. Sonnen gehen auf in ihrem Gesicht. Verloren zieht sie eine Haarnadel heraus, spreizt sie mit den Zähnen und steckt im Nacken eine Strähne hoch. Danach taumelt sie hinaus in den Flur und geht sinnend durch den Garten.

Und die Wirtin wandert hinter ihr her, immer eine Wegbiegung Abstand haltend. Läuft, wenn Anna rascher geht, hält ein, wenn Anna wartet. Beim steinernen David dreht Anna sich plötzlich um. Und die Wirtin prallt auf ihre Schwägerin.

Die Aquamarine. Der bekannte Blick. Und kein Loch, das sich öffnet und die Wirtin verschwinden läßt.

Was willst du herausfinden?

Anna kommt einen Schritt auf die Wirtin zu, diese weicht einen Schritt zurück. Und ihr fällt ein, wie ausgeliefert in diesem Garten jede der andern ist.

Da beginnt Anna zu lachen. Keine Situation ist so ernst, daß man, wie die Schwägerin, ein erschrockenes Gesicht machen müßte.

Nur Dumme können nie über sich selber lachen.

Sie dreht sich David zu. Blattranken haben seinen Leib bis über die Hüfte umschlungen.

Er heiße Anton, sagt Anna.

A wie Arnold und Anna.

Er ist der Mann, der ihr Orchideen und Rosen schenkt. Anton sei verheiratet. Habe Kinder. Aus ihnen beiden werde wohl nie ein Paar.

Die vorsichtige Frage der Wirtin nach dem Weihnachtsabend. Anna hat ihn allein verbracht, mutterseelenallein.
Der Geliebte hat am Morgen zwischen zwei Besprechungen ein Geschenk abgeliefert, hatte kaum Zeit, das Paket auf den geschmückten Tisch zu legen, trank stehend einen Aperitif. Die Besprechungen habe er wohl nur vorgeschützt. Vermutlich hatte er nicht alle Geschenke für seine Familie eingekauft und mußte noch in zweidrei Geschäfte flitzen, ehe die Läden schlossen. Weihnacht feiert Anton mit Frau und Kind. An Weihnacht sind sie eine glückliche Familie. Für Ehemänner existiere an Festtagen keine Geliebte. Anton besucht Anna am Werktag. Und sie wartet.
Einstweilen, meint Anna, warte sie. Manchmal frage sie sich, worauf. Das Verhältnis dauert schon Jahre.
Es ist das erstemal, daß Anna die Schwägerin ins Vertrauen zieht, Dinge erzählt, von denen Arnold keine Ahnung hat.
Ist dies das Leben, das du erträumst, Anna?
Warum machst du nicht Schluß?
Laß meinen Arm los, sagt Anna. Ich muß Blätter schneiden.

Jetzt wünscht sich das Kind auf dem Vorplatz des Löwen einen Weiher und darauf ein Faßhaus, wie es die Tante besitzt.
Blumenkübel grenzen ein paar Gartentische auf dem Vorplatz ab. Dahinter parken Gäste ihre Autos. Jeder Quadratmeter ist ausgenutzt, für einen Teich ist kein Platz.

Die Tante hat einen Einfall, Tanten wissen immer Rat. Du bleibst einfach hier, sagt sie zum Kind. Da besitzt du den Weiher und das Entenhaus. Und alles, was dein Herz begehrt.

Wenn Sternschnuppen fallen, haben wir einen Wunsch frei. Und heute sind kurz nacheinander mehrere Sternschnuppen über den Himmel gefahren. Soviele Wünsche können wir gar nicht haben.
Anna sperrt die Schranktür auf und holt aus ihrer Schmuckschatulle einen Seidenbeutel. Sie hat sich, da war sie noch ein Kind, eine Reise nach Südamerika gewünscht. Und der Wunsch hat sich erfüllt. Eine Reise gratis und franko. Sie meldete sich als Gesellschafterin auf ein Inserat, schrieb, sie sei die gesuchte Begleiterin der erwähnten Internatsschülerin. Bald darauf schiffte Anna sich nach Brasilien ein und erfuhr die Weite des Ozeans.
Anna breitet eine schwarze Samtdecke auf dem Tisch aus. Hält den aufgeschnürten Beutel über die Tischmitte. Mit einem Ruck dreht sie die Hand, und der Inhalt stürzt auf den Samt. Ein Rieseln und Perlen und Kollern. Es sind ungeschliffene Edelsteine. Die hat Anna in Brasilien gekauft. Sie legt sie auf der Samtdecke aus. Mit gedämpfter und wieder anschwellender Stimme schildert sie die Reise.
Man sieht, wie die junge Anna an Land springt und endlich festen Boden unter den Füßen spürt. Sie steht auf dem neuen Kontinent. Südamerika, Fußball, Rumba. Sie küßt das Medaillon mit dem Bild der Mutter. In ihrem Gepäck sind Kassetten mit Schweizer

Volksmusik. Sie liefert die Internatsschülerin am Bestimmungsort ab, gründet im Vorübergehen eine Trachtengruppe und übt Schweizer Volkstänze ein. Die Schneehaut der jungen Anna fällt in Brasilien auf, die hellen Augen, die den Steinen gleichen, die sie kauft. In ihrer Tracht erinnert sie an ein Mädchenbildnis von Anker, gesund und sauber, wie die Heimwehschweizer sich in der Fremde eine Tochter wünschen. Auf Welcome-Parties wird Anna herumgereicht, wird verwöhnt und beschenkt. Mit einem Koffer voll Kassetten und einer verzogenen Schülerin kam Anna in die neue Welt, jetzt geleitet sie ein Troß Freunde zum Schiff. Sie trägt den geschenkten Gürtel aus Goldmünzen, winkt an Deck, bis die Freunde im Dunst verschwinden. Mit mehreren Koffern, einem Säckchen voll Edelsteinen und der Adresse eines Schleifers kehrt die junge Anna über Amsterdam in die Schweiz zurück.
Was du dir stark genug wünschst, bekommst du, sagt Anna.
Du willst reisen? Gut, du wirst reisen. Es liegt alles in deinem Willen.

Das ist Anna. Unsere Anna.
Hättet ihr nur eine Spur von Ähnlichkeit, sagt der Wirt zu seiner Frau.
Er liebt es, seiner Schwester zuzuhören. Er kenne niemand, der den Zuhörer besser in den Bann ziehen könne. Seine Frau, die jetzt einen oder zwei Monate die Gesellschaft seiner Schwester genießen darf, ist zu beneiden.

Anna nennt die Namen der Juwelen, die sie mit der Fingerspitze über den Samt schiebt. Das ist der Granat, das der Rosenquarz, der Lapislazuli, der Opal, der Smaragd, der Turmalin, der Zirkon, der Chrysoberyll.
Ganz still bin ich. Umspanne meine Kräutertasse, trinke in kleinen Schlucken Tee. Mit dem Aussprechen der Namen schon, rücken wir einer anderen Welt ein Stück näher. In der Hand fühlen wir das Gewicht der Steine, während irgendwo jetzt Bergleute Fels brechen, Schotter waschen und sieben, Schleifsteine sich drehen. Es wird facettiert und poliert, und Zertifikate werden ausgefüllt. Nach Tagen und Wochen hat der Stein den idealen Schliff.
Schönheit sehen, sagt Anna, bedeutet einen Augenblick der Ruhe und des Glücks.
Die Bewunderung der Wirtin freut sie. Anna zeigt ihr gern den Besitz, erinnert sich gern. Wir lernen. Das ist der Treppenschliff, das ist die Tropfenform, die schiffchenförmige Navette, die stabähnliche Baguette. Das ist der Sternstein mit unregelmäßiger Farbverteilung, der nach Gefühl und Farbe geschliffen wird. Und dies ist der runde Brillant mit mathematisch berechneten Facetten. Er besteht aus einer Tafel, 32 Kronenfacetten und 24 Unterteilfacetten.
Nach Annas Rückkehr aus Brasilien wechselten Briefe die Kontinente. Jetzt hat sie schon lange nichts mehr gehört. Irgendwann wurden keine Neujahrskarten mehr verschickt. Und den Goldmünzengürtel kann sie nicht mehr tragen. Sie wiege ein paar Kilogramm mehr.

Das Dröhnen aus dem Graben der Autobahn. Im Hochhaus die Leuchtwaben. Die Schlaflosen sind allein mit ihrer Erinnerung. Denken an das, was sich abgespielt hat, irgendwann. Und an das, was verpaßt worden ist.
Ja, das kommt dazu: was verpaßt worden ist. Die Schlaflosen greifen ins Dunkel und lassen den Arm aufs Deckbett fallen. Jeder hört auf die Stimme in seinem Kopf.

Da ist Sunny Linsi.
Da ist die Bar.
Und die vom Fensterkreuz zerstückelte Straße.
Vielleicht einer, der den ganzen Abend still in einer Ecke säuft. Dann den Kopf neben das Glas sinken läßt. Seine Hand baumelt unter dem Tisch. Einmal schließen die Finger sich kurz zur Faust. Er weint, Amuses-bouches vor sich in einer Schale. Sunny Linsi an der Bar schaut an ihm vorbei auf sechs gleichgroße, gleichgraue Pflasterstücke hinter Fensterglas. Und dann legt im Vorübergehen der Wirt die Hand auf ihre Hüfte.
Der geschlitzte Rock lodert auf, leicht brennbar ist der Stoff an diesem Abend. Sunny Linsi steht in Flammen.
Und die Straße ist rot. Warum der Gast in der Ecke noch weint? Wie kann man jetzt weinen.
Sunny Linsi müßte mehr an die Frau des Wirts denken.
Die Frau des Wirts denkt mehr und mehr an Sunny Linsi.

Anna möchte, daß die Wirtin sich Gedanken über die Zukunft macht. Wie geht es weiter mit dir und Arnold und dem Kind? Hin und wieder kommt der Moment, Bilanz zu ziehen.

Die Wirtin und ihr Kind bitten um schöne Träume.
In einen Paternoster steigen und geradewegs in den Himmel fahren. Sterne zum Greifen nah. Und die Fahrt nimmt kein Ende.
Der Sandmann bringt dem Kind nur Träume vom Bösen Mann. Wie hilflos es in seinem Bett liegt, das winzige Kind im Erbbett der Familie. Seine Faust auf dem Kissen. An seiner Schläfe die blaßblauen Äderchen. Im Traum muß es mit den Eltern durch knöcheltiefes Wasser zu einer Waldwirtschaft spazieren, wo der Böse Mann auf dem Schrank hockt. Er hat keinen Unterleib. Seine langen vom Schrank herabschwingenden Arme greifen nach dem Kind. Immer grinst er. Die Eltern wollen die Gefahr nicht wahrhaben. Und das Kind zwängt sich hinter ihrem Rücken durch den Türspalt und schleicht der Wand entlang zu seinem Platz. Schluchzend wacht es auf. Die Mutter macht Licht. Sie erholen sich vom Bösen-Mann-Traum.
Zweige klopfen ans Fenster, die Balken ächzen. Aber siehst du, da hockt kein Mann auf dem Schrank. Die Mutter ist da, nebenan die Tante. Umschlungen sitzen sie im Bett und denken an den Glitzerkugeltraum.
Anna kommt ins Zimmer in ihrem weiten Hemd. Hat Weinen gehört. Herumhuschen. Ob die beiden nicht schlafen können in den guten Betten? Ob sie das Kind zu sich ins Bett nehmen soll?

Das Kind habe geträumt, sagt die Wirtin. Und daß Anna ruhig wieder in ihr Bett gehen soll.

In Mondnächten sitze Anna auf der Steinbank beim Teich. Im Wasser schwimmt der Mond. Eine Staffel Büsche zieht sich vom Teich über den Hang hinauf, ein verknotetes und wirres Geflecht mit Spänen und Breschen. Darüber die Buche. Sie löscht über dem Haus alle Sterne. Ihre Äste zerschmettern das Mondlicht am Mauerwerk.
Vom Teich schlängeln sich auf beiden Seiten Wege zur Kuppe hinauf.
Eine Theaterkulisse, der Aufgang zu einem Palazzo. Anna auf ihrem Steinsitz. Oben müßte ein Licht angehen. Und eine Person tritt in das Licht, die nach Anna ruft.
Manchmal schnappt ein Fisch nach dem Mond, dann ist es für lange Zeit still. Hinter Anna in der Leere ein paar Straßenlichter. Sie schaut über die Staffel der Büsche, über diese Brustwehr ihres Hauses.
So wird es Sommer, wird Herbst, wird ein Jahr. Anna steht auf, wandert über den fahlen Weg hinauf zu den Büschen. Die Sträucher wachsen über ihr zusammen.
Auf ihren Rundwegen kann Anna nächtelang im Kreis gehen, um den Teich herum, den Hang hinauf, an den Versteinerungen und Statuen und Töpfen vorbei, ums Haus und zurück.
Bis zur Erschöpfung kann sie über ihre mondbeschienenen Kieswege gehen.

Die Wirtin hört Anna in ihrem Zimmer. Sie ist nicht in

den Garten gegangen. Warum auch, wozu? Ich habe ihr ja das Kind mitgebracht, unseren Augapfel habe ich mitgebracht, ihrem Bruder Arnold wie aus dem Gesicht geschnitten. Ihr Goldkind könnte nach seiner Tante rufen.

Die Wirtin kann nicht schlafen. Sie steht auf, geht durch den fahlen Garten, durchs Haus, treppauf und treppab. Pflanzen in Übertöpfen aus Kupfer und Keramik stehen auf jedem Treppenabsatz, drehen ihre Blätter zum Fensterlicht. Dazwischen eine Puppenwiege. Früher haben die Geschwister damit gespielt, jetzt ziert sie das Treppenhaus. Efeu windet sich von einem Wandtopf herab, rankt über die Wiege. Von Blättern fast verdeckt, die Puppe mit halb zugeklappten Augen.
Da sitzt es, das Dornröschen, mit flehend emporgereckten Armen, hinter den Blättern. Wird nach hundert Jahren von einem Prinzen gefunden und durchs Blattgeranke hindurch aus der Wiege gehoben. Nach langem Dämmerschlaf klappt es die Augen auf. Spürt, wie einer ihm behutsam die Haube löst und die letzte verbliebene Korkerzieherlocke über sein Gesicht legt.
Damit fängt alles an.

Das Glas ist voll.
Das Glas ist leer.
Die Uhrzeiger rücken. Das Einmannorchester wiederholt sich. Im Fluoreszenzlicht leuchten Schuppen auf

jemands gepolsterten Achseln. Die Türken wagen die Einheimischen nicht zum Tanzen aufzufordern. Hokken auf der Fensterbank, ein Glas in beiden Händen zwischen den Knien und beobachten die tanzenden Frauen. Einer starrt in die Weltraumschlacht, verfolgt ohne Rührung die Geschoßbahn und das Umkippen der Strichmännchen auf seinem Monitor. Einer steht an der Bar mit nach innen gekipptem Fuß, schiebt unentwegt den Ehering über den Finger. Ihn müßte man gern haben. Zu ihm müßte man eine Kleinigkeit sagen. Nett, Sie hier zu treffen, endlich lernt man sich kennen. Oder eine andere Erfindung.
Man schaut an seinem fleischigen Ohr vorbei zum Fenster. Das Straßenlicht ist fahl. Aber man kann diese kerzengerade in der Ecke Sitzenden nicht mehr sehen. Und den lautlos dahinfedernden Wirt. Das Zipfeln des Dreiecks seiner hochgesteckten Kochschürze.
Wir haben genug geredet, genickt und gelächelt. Wir schauen uns um an einem andern Ort. Ein Haus auf einer Kuppe spielt eine Rolle. Zwei Frauen, ein Kind.

Die Tante zeigt dem Kind das Schulhaus, ein dreistöckiges Gebäude mit Bogenfenstern und einer breiten Steintreppe.
Hier ist dein Vater zur Schule gegangen.
Die Wurzeln der Kastanienbäume wellen den gepflasterten Platz und brechen an manchen Stellen aus dem Beton. Ein Eisengeländer grenzt den erhöhten Pausenplatz zur Straße ab. Es ist im Lauf der Jahre von

abertausenden feuchten, fettigen Händen blankpoliert. Auf diesem Geländer hocken die Schüler wie Vögel auf Drähten. Einer dreht sich unvermittelt und boxt dem anderen die Faust in die Rippen. Der fällt von der Stange, die andern kreischen auf. Dann ist wieder Ruhe.

Eine Lehrerin zieht mit ihrer Schar über den Pausenplatz. Anna winkt, und die Lehrerin neigt ihren Kopf. Im Turnen sei Arnold einer der besten gewesen, erzählt Anna. Im Klettern hat ihn keiner geschlagen. Die Tante hat ihm oft zugesehen. Die Handarbeitsstunde wurde bei schönem Wetter im Freien abgehalten. Strümpfe stopfend oder einen Muschelsaum nähend, hat die Handarbeitsklasse zu den Buben geschielt, die auf dem Platz ihre Turnstunde hatten. Der Platz war damals gekiest. In Reih und Glied warteten die Buben vor den Kletterstangen auf den Trillerpfiff. Arnold warf sich vor, mit einem Hechtsprung zur Stange und zog sich hoch, mühelos, mit quietschenden Schenkeln, Meter um Meter. Oben ein Faustschlag zum Zeichen des Siegs. Das Eisen hallte, und dann ist Arnold heruntergesaust und in den Sand gehüpft.

Arnold immer als Sieger.

Heimlich haben die Mädchen ihre Stopfkugel zur Kletterstange rollen lassen, um ihr nachrennen zu können und die knochigen Buben in Unterleibchen und Turnhosen aus der Nähe zu betrachten.

Unter der Kastanie waren die Stühle der flickenden Mädchen im Kreis aufgestellt. Jetzt ist das Pflaster dort mit Verkehrszeichen bemalt. Schilder sind aufgestellt. Davor eine Klasse in Tretautos, auf Fahrrädern, Roll-

schuhen und Rollbrettern. Die Lehrerin pfeift, und ihre Klasse beginnt loszufahren, zu radeln, um Kurven zu rollen. Beim Stoppsignal halten die Schüler an und lassen die Vortrittsberechtigten vorbei. Keiner drängelt, sie machen bei der Kreuzung den Reißverschluß, einer rollt von rechts, einer von links über die Straße.
Das ist Arnolds Kind, sagt Anna zur Lehrerin. Die nickt nur, und Anna folgt ihr zum Fußgängerstreifen, schaut nach links und nach rechts, wie die Lehrerin, und überquert die eingezeichnete Straße auf dem Schulhausplatz. Sie müßte den Bruder doch kennen, meint Anna, den früheren Besitzer ihres Pferds.
So, sagt die Lehrerin und nickt wieder.
Die Schüler klingeln, fahren vor, beschleunigen und stoppen. Anna, das Kind und die Wirtin stehen mitten im Verkehr. Hupend weichen die Schüler dem Verkehrshindernis aus. Die Lehrerin pfeift und gibt mit den Armen Zeichen.
Wir sind hier zur Schule gegangen, schreit Anna. Im Verkehrslärm gehen ihre Schreie unter.

Sie wandern entlang der Autobahn zurück zur Kuppe. In den Autos auf einem Transporter zerfließen Sonnen im Lack. Das Kind schreit Lancia Beta, Mazda, Mercedes.
Wer hat das Kind die Namen der Autos gelehrt? Es gibt Dinge, die dem Kind wichtig sind, von denen die Mutter nichts weiß. Es lernt schon von anderen.
Später läßt das Kind in kleinen ungelenken Schwüngen Fischfutter auf den Teich rieseln. Greift eins ums andere Mal in die Futterbüchse. Anna hält das Kind am Hosen-

boden, damit es das Fischfutter weit in den Teich auswerfen kann.

Das Telefon ist im Garten zu hören. Die Anrufe von Annas Freund sind zu keiner bestimmten Zeit zu erwarten. Er telefoniert in einem günstigen Augenblick. Vielleicht kommt er, vielleicht kommt er nicht. Anna lauscht in den Hörer. Anton hat möglicherweise schon aufgelegt. Es komme vor, daß seine Frau ihn beim Telefonieren überrasche und er grußlos einhänge.
Und Anna lauscht und entflicht die Schnur. Wartet auf ein Zeichen, ein Wort, dann hängt sie ein.

Die Wirtin möchte eine Beschäftigung. Blumen pflanzen oder Salat setzen oder wenigstens die Kleider für sich und das Kind waschen und bügeln. Oder überlaß mir die Nähmaschine.
Ich habe nicht die Ruhe, mich einzustimmen in ein Bild, wie du es tust, Anna. Ich bin nicht dieser Punkt, um den sich alles bewegt und der Einzelheiten erkennt, weil er ruht. Das Herumliegen macht mich dumpf.
Bis sie ihr erklärt habe, wo das Werkzeug liegt, wie die Setzlinge eingepflanzt werden, in welchem Abstand sie in den Boden kommen, habe Anna besser gleich selber alles gepflanzt. Und die Nähmaschine bleibt auf dem Estrich. Ihre Schwägerin mag wissen, wie man einen Gin-fizz mixt. Aber die Haus- und Gartenarbeit ist sie nicht gewohnt. Anna gehe sie leicht von der Hand. Sie kann nicht zusehen, wenn jemand ungeschickt ein

Werkzeug hält. Jemanden eine halbe Stunde an einer Kartoffel herumschälen zu sehen, das mache Anna ärgerlich. Da setze sie lieber selber den Topf mit Kartoffeln auf.
In diese Familie Eingeheiratete sind immer ungeschickt. Sie haben zwei linke Hände. Eines Tages werde ich mich vor die Sippe stellen, meinen Rock heben und ihr meinen Hintern zeigen.
Ich soll wie Arnolds Schwester sein. Aber Anna will mich nicht wie sie. Sie will niemand wie sie.

Der Schatten der beiden Frauen im Wasser zerfließt.
Sie will, sagt die Wirtin, morgen bei den Gartenarbeiten helfen. Sie besteht darauf.
Gib der Katze ihr Kratzbrett, sagst du.
Annas belustigter Blick.
Du kannst die Tomatenblüten unter den Plastikhauben schütteln, damit die Pflanzen sich bestäuben.
Die Absätze der Wirtin durchbohren die Schicht aus Kies, als sie sich dreht und zum Haus zurückgeht. Bei den Thuyabüschen wartet sie auf Anna. Sie werde, meint sie, zu Hause im Löwen oft an diesen Garten denken. Die Pollenwolken heute werden ihn noch üppiger machen.
Wenn Anna ein Standort paßt, läßt sie die Keimlinge wachsen. Wuchern sie am falschen Platz, reißt sie diese aus. Die Wildnis ist Absicht.
Ich, sagt Anna, gebe dem Garten die Form. Sie hebt beide Hände vors Gesicht. Damit.
Nichts wird einem geschenkt. Nicht ein Gran.
Die Wirtin schaut auf ihre geballten Hände, die einge-

schlossenen Daumen, die Arnold immer zu öffnen befiehlt.
Ja, du und dein Bruder, ihr habt alles im Griff.

Die Wirtin, mit aufgestützten Armen am Tisch, redet von ihrem Schneideratelier. Ihr Name war ein Begriff. Der große Kundenkreis, den sie hatte. Der gute Verkaufserlös damals war ja nicht bloß Arnolds Überredungskünsten zu verdanken. Ihr Mann führte den Gewinn immer auf seine Beziehungen zurück. Nie ein Wort über meinen Fleiß und meine Fähigkeit als Schneiderin.
Was die Schwägerin damit sagen wolle? Anna schneidet Zwiebeln, läßt das große Messer auf das Holzbrett klopfen, dreht die Zwiebel und hackt sie klein. Dein Geschäft hatte eine günstige Verkehrslage, mein Bruder kannte Interessenten. Das, meine Liebe, sind Fakten.
Anna unterbricht das Zwiebelschneiden. Ihre Augen tränen. Wie ihre Schwägerin die Zeit, da sie noch eine kleine Schneiderin war, so idealisieren kann. Jetzt, als Arnolds Frau, als Wirtin, als Mitglied unserer Familie.
Sie bekomme hier wieder Lust zu nähen, sagt die Wirtin.
Anna schabt die Zwiebeln vom Brett ins heiße Fett. Sie klappert und scheppert und erinnert daran, daß die Kleiderschnitte sich verändert haben. Andere Maschinen, andere Techniken, eine andere Fasson. Die Ehe-

frauen, die ihren Beruf wieder aufnehmen wollen, stehen dumm da und gucken in den Himmel.
Arnolds Frau soll die Tatsachen sehen. Daraus Schlüsse ziehen.
Duft von Rösti erfüllt die Küche.
Der menschliche Körper bleibt sich gleich, sagt die Wirtin. Nur der Schnickschnack seiner Hülle ändert sich.
Anna nimmt die Gußeisenpfanne vom Herd, schwingt den Fladen in die Luft und fängt ihn mit der Pfanne auf. Die knusprige Seite liegt jetzt oben. Die Wirtin deckt den Tisch. Sagt, sie fange morgen zu nähen an.
Anna reißt beinah die Pfanne vom Herd. Sie wünscht keine Nähwerkstatt in ihrem Haus. Nadeln auf den Teppichen, Stoffreste, Scheren, Zentimetermaß, Schneiderkreide, Schnittmuster, die herumliegen. Aus Versehen würde womöglich in ihre Spitzendecken geschnitten. Und der Staub. Und die Fäden. Und der belegte Tisch.
Es gibt in diesem Haus keinen Platz zum Nähen. Anna kann ihre Sammlungen nicht zusammenrücken. Will auf kein Zimmer verzichten, damit Arnolds Frau sich die Langeweile mit Stoffen vertreibt.

Die Kocherei für nichts, die Wirtin stochert nur auf ihrem Teller herum. Wortlos nimmt Anna den vollen Teller vom Tisch und schabt das Essen in den Eimer.
In ihrer Familie ist nie Eßware verkommen. Ein Schweinehirt holte die Reste ab. Zog seinen Karren mit dem Faß und schellte vor jedem Haus. Man weiß nicht, ob er den Inhalt selber aß oder den Schweinen verfüt-

terte. Einmal habe er einen lebenden Frosch verschluckt. Hockte auf seinem Karren, trommelte mit den Nagelschuhen gegen das Faß und ließ langsam den Frosch ins aufgerissene Maul gleiten. Er habe ausgiebig gekaut. Die Geschwister waren Zeugen. Arnold hatte für diese Vorführung fünf Batzen bezahlt und von seinen Mitschülern danach acht Batzen Wettgeld kassiert.
Der Bruder habe dem Schweinehirten im Grunde einen Gefallen getan, denn ein einziges Mal im Leben sei der von Schülern bewundert worden.
Anna wäscht ab, Schaum rutscht über ihre aufgequollenen Hände. Arnolds Frau greift nach dem Geschirrtuch. Anna wünscht keine Hilfe. Sie hat dem Bruder ein Versprechen gegeben. Seine Frau wird geschont.
Beim Hin und Her rutscht der Wirtin die Tasse aus den Fingern und zerspringt auf dem Boden.
Annas Aquamarine.
Anna besteht darauf, selbst aufzukehren. Damit nicht noch ein zweites Unglück geschieht.

Die Wirtin betrachtet die Blutbuche von ihrem Zimmer aus, von der Straße her, aus jedem Winkel des überwucherten Gartens. Millionen Blätter hängen am Baum. Jedes einzelne im vorgegebenen Muster geformt, jedes stark genug, einen Sommer lang Glut zu fächeln, Regen abzufangen, im Sturm zu rütteln. Schon den Buchnüssen ist der Code zu einem Baum eingegeben.
Wächst, denkt die Wirtin, und fragt niemand um Rat.
Die Wirtin ruft den Küchenburschen an. Er soll ihr den Bastkoffer schicken. Der Korb enthält Stoffe, die die

Wirtin im Lauf der Jahre kaufte. Nie fand sie Zeit, sie zu schneiden und zu nähen.
Der Wirt ruft fünf Minuten später zurück. Verlangt Anna. Ob sie ihm erklären könne, was vorgehe. Warum die Frau den Küchenburschen ans Telefon rufen läßt und nicht ihn, den Mann.
Der Koffer bleibt, wo er ist.
Anna verspricht, alles in Ordnung zu bringen. Das Kind sei braun geworden. Aber nachts schreckt es aus dem Schlaf. Anna werde das Kinderbett möglicherweise ins eigene Zimmer stellen. Gegen den Wunsch deiner Frau, Arnold. Diese müsse ihre Rastlosigkeit verlieren und das Gleichgewicht finden.
Anna klemmt den Hörer zwischen Kopf und Schulter und trägt das Rosaquarztelefon zum Sofa. Sie habe überlegt, ob man die Gaststube in einen Grillroom umbauen sollte. Sie berechne und skizziere ihren Plan. Nein, mit der Frau habe sie nichts besprochen, die hört zum erstenmal von diesem Projekt.
Im Grunde seid ihr beide froh, lacht Anna, daß ich Entscheidungen fälle und die Verantwortung trage.

Morgen schon kann alles anders sein.
Gestern errichtete man aus dem Federbett ein Schiff, eine Kutsche, ein Schloß. Gestern war man Prinzessin und Prinz. Schwor, einander in keiner Gefahr zu verlassen. Heute ist man Minister und räumt einem Königspaar den Weg frei. Morgen wird der Minister nicht mehr gebraucht.
Anna, die Ältere.
Arnold, der Kleine.

Anna habe ihn immer beschützt. Anna hat sich auf Raufende geworfen, gebissen, gekreischt, getreten. Und seine Hosen mußten immer sauber sein. Gut dastehen sollte er. Der sauberste, der schönste, der beste.
Dann erscheine ich, und nehme ihn ihr weg.
Man kann gegen Anna nichts einwenden. Wenn mein Mann sie braucht, läßt sie alles stehen und eilt zu Hilfe. Sie ist tüchtig, anders als ich. Spricht mit meinen kümmerlichen Pflanzen. Bei ihr gedeihen sie. Ihr fällt die Lösung ein. Sie weiß Rat. Auf dem Vorplatz des Löwen müssen Kübel mit Oleander stehen. Das Kind muß dieses Jahr skifahren lernen. Ich muß eine Spirale einsetzen lassen. Denn ihr werdet doch wohl an keine weiteren Kinder denken. Heute. Als Geschäftsleute. Da die Zeit für ein einziges Kind schon fehlt. Und bei deinem ungelösten Problem.

Ich werde von deiner Schwester lernen, Arnold. Anna soll mich in die Buchführung einarbeiten. Du kannst dir nicht vorstellen, daß ich Soll und Haben unterscheide? Du wirst dich wundern. Ich bin gut durch alle Schulen gekommen. Die besten Zeugnisse, die prächtigsten Couture-Modelle.
In nichts stehe ich deiner Schwester nach. Das habe ich im Löwen beinah vergessen.

Wenn die Wirtin lange ins Flirren der Blätter schaut, glaubt sie, ins Blattwerk gesaugt zu werden.
Jedes Blatt ein Gedanke, meint Anna. Jedes Blatt ein in den Himmel gehängter Wunsch. Im Herbst torkeln die

Blätter zu Boden. Das sind die Wünsche der Welt, die nicht in Erfüllung gingen.
Buchnüsse in der Faust, schlendert die Wirtin durch den Garten. Sie denkt an ihre erste Bilanz. Ein Kontenplan wie in den Geschäftsberichten der Banken. Sie bringt ihn in die Küche. Während der Wirt an seiner Schürze die Hände abwischt, seine Frau ungläubig betrachtet, verkündet sie ihren Gewinn.
Mein Triumph, dieser Triumph, weil wir seine Schwester nicht mehr brauchen.

Anna bis zu den Hüften in Blumen, schneidet einen Strauß. Sie zieht ein Haar aus ihrem Zopf und wickelt es um die Stiele. Sie wird die Blumen trocknen, um für Arnold die gewünschten Sträuße zusammenzustellen. Ein Stück ihres Gartens wird dann im Löwen stehen.
Anna riecht an den Blüten. Und muß doch wissen, daß sie verblassen und zerfallen werden.

Im Haus auf der Kuppe fällt Sunny Linsis Name. Karten liegen auf dem Tisch. Der Name klingt, als bedeute er nichts und wäre Anna gerade eingefallen. Karten mischend, verteilend, zusammenstreichend, fragt Anna, wo Sunny Linsi eigentlich schlafe. Wo wohnt diese Frau?
Hat Arnold seiner Schwester nichts von Sunny Linsi erzählt? Sie können ohne ihr Fünfminutengespräch nicht leben und schaffen es doch, nichts über sich preiszugeben. Sie seien sich derart verbunden, meint Anna, daß ein jedes den Zustand des andern ohnehin aus der Stimme heraushöre.

Und muß auf Umwegen Näheres über die Aushilfe herausfinden.
Die raschen Bewegungen von Annas mischenden Händen. Das Licht der Tischlampe in ihrem Gesicht. Die Frauen vermeiden es, beim Kartenziehen einander anzusehen.
Ihr Mann habe Sunny Linsi das Gastzimmer über der Wohnung angeboten. Bis die Kasse abgerechnet und das Mise-en-place gemacht ist, schlägt die Turmuhr eins. Es gibt viele Gäste, die eine Bardame nach Hause begleiten möchten. Eine hübsche Frau und bei dieser Dunkelheit, in dieser menschenleeren Stadt, bei diesen täglichen Verbrechensspalten, den grauenvollen Schilderungen von XY im Fernsehen. Sunny Linsi bedauert. Wie freundlich. Wie sehr sie das Anerbieten ihrer Gäste schätzt. Ein anderes Mal vielleicht, bei anderer Gelegenheit, sie kommt gern darauf zurück.
Hätte Sunny Linsi ihre Wohnung auswärts, müßte sie sich zugeknöpfter geben. Ausreden genügten dann nicht.
Die Karten stimmen Anna bedenklich, sie wiegt den Kopf, läßt die Schwägerin noch eine Karte aufdecken und noch eine. Aha, sagt Anna. So ist das. Sie schürzt die Unterlippe. Es wird Veränderungen geben. Aber diese Veränderungen sind anders, als wir beide erwarten.

Das Ächzen des Gebälks, im Baum der Wind, das Brausen aus dem Autobahngraben, die Feste der Siedlungsbewohner, das sind im Haus auf der Kuppe die Nachtgeräusche. Manchmal aber schrecken die Hunde

aus dem Schlaf und spitzen die Ohren. Bellend springen sie vom Sofa. Und Anna, mit einem Sprung am Schrank, ergreift das Flobertgewehr, schiebt mit dem Lauf den Vorhang zur Seite. Der Wirtin bedeutet sie, die Hunde in den Garten zu lassen. Die rennen kläffend ums Haus. Anna wartet am offenen Fenster, die Waffe im Anschlag.
Sie würde schießen.
Selbstverständlich schieße sie.
Meine Liebe, in all den Jahren habe ich gelernt, mich zur Wehr zu setzen. Keiner hört, wenn ich schreie, keiner ist in der Nähe und kommt mir zu Hilfe.
Anna muß sich selber helfen. Ein Angreifer käme nicht ungeschoren davon. Glaube mir, der hätte ein paar Löcher im Pelz.
Anna rammt dem Eindringling das Knie zwischen die Beine, kratzt, beißt, schießt. Verteidigt sich bis aufs letzte, und es ist vielleicht aussichtslos. Am anderen Morgen wird sie von Frau Moser aufgefunden. Die Polizei ruft im Löwen an. Die Schwester wurde erdrosselt. Arnold muß die Leiche identifizieren. Man macht sich Vorwürfe, natürlich. Nie war man der Schwägerin besonders zugetan. Und jetzt ist unsere Anna ein Opfer, nun da nichts mehr gutzumachen ist.

Gäste lesen Weinkarten. Champagnerpreise. Kaltes Buffet rund um die Uhr. Verloren stehen manche Bar besucher da, mitten im Gedränge, das Glas in der Hand. Jemand ist ihnen auf die Füße getreten, sie haben nichts bemerkt, sie standen nicht in ihren Schuhen. Aber jetzt stemmen sie sich gegen die an, die sie von der Theke verdrängen wollen. Sie vernehmen Musik, die vermutlich immer schon spielte. Das Einmannorchester life, Rocky-Kid himself. Einer macht auf den Herrn mit Hut aufmerksam. Dort hinter der Kaffeemaschine sitzt er, der Herr aus der Zeitung.

Am Gelenk des Vorsitzenden der Friedenskommission tickt die genaueste Uhr der Welt. Er beherrsche jetzt auch die Umstellung auf Sommerzeit. Wir lernen, sagt er, um und um. Die Beweglichsten, Tüchtigsten, Redegewandtesten, Geschultesten, Führungsfähigsten, Motiviertesten. Wir kapieren. Wir liefern einwandfreie Arbeitsplatzbewertungen. Ein Mikrometer ist der zehntausendste Teil eines Millimeters. Wir kennen die junge und jüngste Computergeneration. Der Helium-Neon-Laser. Dagegen die Zeit der guten alten Tonwalze. Gerührt sammeln wir Geräte mit der Nadel, die zur Tonspur geronnene Musik abtastet. Die Thomas-Alva-Edison-Erfindung ist jetzt überflüssig. Die Tonwalze war nach fünfzig Jahren von der Schellackplatte überholt. Die Schellackplatte war nach dreißig Jahren von der Laserplatte überholt. Der Sieg der digitalen Technik über die analoge Schreibweise darf uns nicht überraschen. Heute wagen wir uns an die Opto-Technik. Mit welcher Errungenschaft könnte man uns noch in Staunen versetzen.

Ein Herr, der einen ganzen Abend lang den Hut auf dem Kopf behält, der überrascht. Und die Kreise und Ellipsen des dahinfedernden, nach allen Seiten nickenden Wirts sind sehenswert. Oder ein Name wie Godigisel auf einer Visitenkarte. Godigisel müßte man heißen, wie der König der Vandalen. Allein dieses Namens wegen gefürchtet. Er klang seinen Feinden wie Gottesgeisel. Damals sprach keiner vom Laserplattenspieler mit dem hörbaren Vorteil. Die kannten noch nicht den Ärger mit dem Kleber. Die sicheren Slipeinlagen. Der Abstand zum Mond war noch nicht auf fünfzehn Zentimeter genau bekannt. Schadensfälle waren nicht versichert. Die Bahnhofsuhr wurde nicht über Satelliten abgelesen. Tiefste Unkenntnis über Video-Geräte. Nie von der sauberen Kernkraft gehört. Ihrem Waschautomaten nie babyweiche, babysanfte Pullover entnommen. Nie mit Radargeräten über die Erdkrümmung geblickt.

Sunny Linsis wird es immer gegeben haben. Herren mit Kopfbedeckung. Frauen mit versteinertem Gesicht, die in der Ecke sitzen und einen glatten, entspannten Ausdruck ins Gesicht zwingen. Gattinnen von Männern mit Namen Godigisel, Hermerich, Geiserich. Leute, die von einem Fuß auf den andern treten, nicht wissen, worauf sie warten, wozu sie den Aufbruch hinauszögern.

Die Vandalen waren nicht Vandalen wie wir, meint der Vorsitzende. Es ist nichts bekannt von einem Flaschenhagel auf einen Fußballplatz, von aufgeschlitzten Reifen und zertrümmerten Telefonkabinen. Ihre große Erfindung war der Klettenstab, mit dem sie dem Gegner blitzschnell die Haare verhedderten und mit der Kopfhaut wegrissen. Ihr Untergang dauerte ein halbes Jahr. Wir stellen noch unseren Mann und unsere Frau. Wir sortieren aus und ergänzen mit Neuem, auf kleinerem

Raum, mit raffinierteren Einzelheiten und einfacherer Bedienung zu günstigen Bedingungen und einem konkurrenzlosen Preis. Wir lesen Anleitungen, füllen Garantiescheine aus, lassen sie abstempeln und weisen sie im Schadensfall vor. Technisch ist alles machbar. Diese Chips sind ein Glück, ein Rausch. Ein Laserstrahl tastet die Bits ab, entschlüsselt den Code der Nullen und Einsen, aber wir, wir bleiben die alten. Schreien, stampfen, klappen zusammen, rappeln uns auf und fallen übereinander her. Wir haben uns überhaupt nicht im Griff. Im Kunststoffherz der alte Kreislauf. Haarausfall, Falten, Muskelschwund und Karies wie eh und je. Allergien, Krebs- und Kreislaufkrankheiten im Steigen. Der alte Hunger und Durst. Ein Herdentrieb, ein Imponiergehabe, eine verminderte Zurechnungsfähigkeit. Noch immer das Faustrecht. Ewig die Wirkung der Sunny-Linsi-Busen. Die alten Geschichten. Eine verstrickt sich, eine löst sich, eine behauptet sich. Die nächste setzt die Geschichte der ersten fort.
Mit zurückgelehntem Kopf liest jemand das Gedruckte an der Wand. Ein Eiswürfel rutscht durchs Glas und fällt ihm auf die Zähne.
Dort die Tür führt zur fahlen Straße zum Tor in die dunkle Landschaft hinaus.

Wälder und Matten und Dörfer wie auf einer Hebebühne fahren aus der Dunkelheit in den violetten Himmel. Der Horizont schraubt sich in immer helleres Licht. Vögel beginnen zu pfeifen. Erst ein matter Schrei, danach eine Frage und eine in die Höhe gezogene Tonfolge, die plötzlich abbricht. Dann setzen

näher und ferner unzählige Vogelstimmen ein, geben ein Gefühl für die Weite des Raums.
Die Wirtin schnellt aus dem Bett, kleidet das plaudernde Kind an. Und als Anna auf Zehenspitzen ihr Zimmer betritt, sind die Fensterläden schon zurückgeschlagen. Mit dem Kind an der Hand tritt die Wirtin an Anna vorbei aus der Tür, setzt in der Küche Milch auf und deckt den Tisch.
Heute will sie dem Kind den Funkturm zeigen. Unterwegs wollen sie ein Feuer machen und Würste braten.
Nur das Kind und ich.
Die Wirtin beißt in ihr Butterbrot. Anna starrt an ihr vorbei aus dem Fenster, die Tasse hält sie in beiden Händen vor ihrem Mund.
Heute, ausgerechnet heute wollte Anna mit dem Kind zum Supermarkt. Die einzige Gelegenheit zum Ponyreiten. Die Mutter hätte Ruhe und könnte im Garten den Frieden genießen.
Das ist mein Tag, Anna. Behalt deinen Frieden!
Die Wirtin rückt den Stuhl vom Tisch und geht, ohne sich noch einmal nach Anna umzusehen.

Die Wärme des Asphalts. Dem Garten entlang wandern sie ein Stück im Schatten. Der Sennenhund zottelt ihnen entgegen. Der Bauer zerrt einen Futtersack vom Stapel und trägt ihn vom Fuhrwerk zum Haus. Er grüßt. Ich bin der Moser. Wie ist Ihr Vorname, junge Frau?
Über dem Dach schwirrt ein Hubschrauber. Hinter der getönten Plexikuppel Menschen wie Spielzeugfiguren. Die Wirtin streichelt den Hund.

Sie müsse doch einen Taufnamen haben, Ruth, Alexandra, Johanna, es gebe so klingende Namen. Moser möchte einen Menschen nicht mit Pet oder Su oder Nana ansprechen, komme sich dumm vor dabei.
Der Wirt redet seine Frau nicht mit ihrem Namen an. Du, sagt er, komm rasch! Kommst du endlich! Würde es der Dame belieben, den Hintern zu heben! Bei Arnold habe ich mir meinen Namen abgewöhnt. Würde einer mich beim Vornamen rufen, ich drehte mich nicht um. Sind die Gäste fort, brauche ich Minuten, mich an meinen Namen zu erinnern.
Die Wirtin schweigt. Die Hände auf die Ohren pressend, schaut sie zum Hubschrauber. Man versteht das eigene Wort nicht mehr. Die würden, meint Moser, Luftaufnahmen machen. Dann bieten sie der Bevölkerung die Fotos zum Kauf an.
Anna besitzt solche Bilder. Sie wird die neuen Aufnahmen zum Familienfest mitbringen. Mit den Fotos der Jüngsten wechselt das Bild ihrer Liegenschaft die Hände. Das Grundstück im Sommerflor, überall Blumenpolster, die mächtige Baumkrone neben dem gesprenkelten Ziegeldach. Da, das Auto. Und unsere Anna, so klein.
Das Kind ist auf Mosers Fuhrwerk geklettert. Es will nicht mehr herunter, stampft und schreit.
Es entdeckt eine Welt, Arnold, die uns nicht enthält.
Hepp, macht Bauer Moser, anstelle des Futtersacks schwingt er das Kind vom Fuhrwerk herab.

Mutter und Kind wandern über den Hügelzug vorbei an der Vogelscheuche, gehen auf den Reitwegen der

Geschwister durch Licht und Schatten. Und wären doch so gerne neue Wege gegangen.
Hinter einer Abschrankung stapft das Kind in seinen Turnschuhen im tiefen Gras herum, ganz dem Sammeln der fettesten Gräser hingegeben.
Ich pflücke Gras für die Kuh.
Das Kind nähert sich dem überhängenden Graspolster. Am Drahtverhau die Kuh, schaut zu. Die Wirtin reißt das Kind hinter die Abschrankung zurück, schüttelt es, schreit. Der Fels unter dem Graspolster stürzt senkrecht in die Tiefe. Zitternd hält die Mutter das Kind im Arm.
Alle Kinder haben einen Schutzengel, hat die Tante erzählt. Er hat rosagetönte Flügelspitzen und ein Goldband im Saum. Wie auf dem Bild über dem Bett. Der Schutzengel kennt jeden Gedanken und wacht über jeden Schritt.
Deine Schwester, Arnold. Mit dem Schutzengel der Familie. Ihr kennt die Steinbrüche. Die Hügelzüge sehen harmlos aus und sind so tückisch. Ich höre eure Vorwürfe, eure Aquamarinblicke vernichten mich. Der Befehl lautet: Schluß jetzt mit den Alleingängen. Im Garten ist genug Platz. Lauf dich müde auf den Gartenwegen.
Die Geschwister haben recht. Ja, die Hunde bleiben auch im Garten, das Maschengitter ist dicht, da finden sie keinen Durchschlupf. Und ich trabe rundum und vergesse, daß dies ein Garten ist. Die vielen Pfade täuschen ja Größe vor. Die Welt ist für mich hier ein wenig weiter, mein Blick gleitet nicht an Aschenbechern ab, das ist wahr. Das Kind fährt nicht auf der

Zinne mit seinem Dreirad von Geländer zu Geländer, immer vor und zurück.
Doch was ist ein Garten gegen eine Landschaft, die es noch zu entdecken gälte, ein Pfad gegen einen verzweigten Weg. Am liebsten würde man losrennen, sofort und in jede Richtung zugleich.
Hausarrest hieß in meiner Kindheit die schlimmste Strafe. Von meinem Zimmer aus beobachtete ich die Treffpunkte der Mädchen. Auch meine Freundinnen ließen sich ihr Fahrrad von einem Schüler nebenherschieben, auch ihre Brüste wölbten sich. Aber deren Eltern waren nicht derart ratlos, daß sie Hausarrest verhängten. In meinem Zimmer sah ich durch den Feldstecher. Im Himmel stand in Leuchtschrift: noch fünf Jahre, dann bist du frei. Das hast du jetzt von deiner Entwicklung, sagte ich, und verschränkte die Arme, um meine Brust zu verbergen. In dieser Zeit weinte ich leicht, oft ohne Grund.

Die Wirtin setzt sich mit dem quengelnden Kind ans Wiesenbord. Sie sehen das Haus auf der Kuppe. Es platzt. Anna richtet sich darin auf. Das Dach poltert zu Boden, die Mauern kippen.
Ich weiß nicht, warum Anna in meiner Vorstellung so groß und üppig ist. Ihr Bild fände auf einem Scheibenquadrat des Löwenfensters keinen Platz.
Ein Jogger rennt vorbei. Seine angewinkelten Arme schaufeln Luft. Er kreuzt ein Mädchen. Es trägt Kopfhörer, lächelt vor sich hin und scheint den Jogger nicht zu bemerken.
Klingt deine Musik schön? fragt die Wirtin.

Wie? Das Mädchen schiebt seine Kopfhörer ins Haar. Das Gesicht erlischt.

Erinnere dich, Arnold, einmal da spieltest du nur für mich. Deine Klaviermusik klang in uns nach. Wir tanzten. Um uns die aufgestuhlten Tische. An meiner Schläfe spürte ich die Lippen, von denen ich glaubte, daß sie immer nur mir gehören würden.
Arnold kann sich an nichts erinnern. Nur daß die Familie gern zu seinen Melodien tanzt.

Sie habe die Stille genossen, sagt Anna zu den Zurückgekehrten. Es war wie früher. Und hängt einen Strauß zum Trocknen unters Verandadach. Monat um Monat kommt eine Blumenart dazu. Im Herbst wird Anna in der Veranda die Klappsessel und Liegestühle kaum noch unterbringen können.
Außerdem, sagt Anna, habe sie Besuch gehabt. Nein, nicht Arnold. Anton war da. Hat Blumen gebracht. Einen Gartenrundgang gemacht. Anna in die Arme genommen.
Seine Orchideen- und Rosensträuße sind nicht zu zählen. Was er seiner Frau schenkt, bleibt ein Geheimnis. Sein blaues Auto taucht in der Siedlung auf. Er steht vor Annas Tür und öffnet die Arme.
Anton erscheint bei Tag oder bei Nacht, sperrt die Tür mit seinem Schlüssel auf. Es wird einer der Mieter sein, denke Anna und horche. Und sei enttäuscht, wenn es tatsächlich ein Mieter ist und die Schritte an ihrem Zimmer vorübergehen. Steht aber Anton auf der Schwelle, springt sie auf. Er macht sein verschmitztes

Gesicht, hebt die Bügelfalten an und wippt ein wenig mit den Hosenbeinen. Sie fallen sich lachend in die Arme.
Es ist immer schön. Wir sind immer sehr glücklich. Anton tritt ein, und die Sorgen sind weg. Anton sagt, hier kann er atmen, hier ist alles weit, und es gibt nur ihn und mich auf der Welt.
Der Satinanzug mit dem Spitzen-Einsatz ist ein Geschenk von ihm.
Wenn Anton nach der Armbanduhr auf dem Nachttisch tastet, weiß Anna, alles Schöne hat ein Ende.
Mach mir den Abschied nicht schwer, sagt er.
Sie löst sich aus seinem Arm, tanzt zur Tür, reißt die Grußhand an die Schläfe und macht ihm den Abschied nicht schwer. Anton steigt ins blaue Auto. Und aus ist der Traum.

Frau Moser habe sich heute nie gezeigt. Anna harkte lange, klopfte am Zaun die Erdklumpen von der Harke, die Staketen dröhnten. Aber im Hof gegenüber rührte sich nichts.

Über den Hügeln wird der Himmel jadegrün, grell wie die Theaterkulisse im Löwensaal. Darüber der Scherenschnitt der Bäume.
Das Kind ist auf Annas Knien eingeschlafen. Sein Mund steht offen. Speichel fließt über Annas Schulter. Sie möchte das Kind noch nicht zu Bett bringen, verbirgt ihr Gesicht in seinem Haar. Eisenbogen umspannen den Sitzplatz. Sie sind von rosa Heckenrosen überwachsen. Überhängende Ranken schwanken im Wind.

Ein Gartenlaubebild, das wir sind.
Schweigend blicken wir über die verblassende Landschaft zum grellen Himmel. Vom Duft der Rosen betört, schlafen wir ein und werden von den Rosen zugewachsen.

Die Wirtin will Stoff und Nähzeug kaufen.
Anna wird mich nicht hindern.

Sie wandert am Morgen durchs Dorf, schaut geradeaus zum Punkt, an dem die Häuser links und rechts der Hauptstraße sich berühren. Auf dem Radstreifen überholen sie Fahrräder mit Einkaufskörben. An den Häusern sind auf der Sonnenseite die Fensterläden geschlossen. Einer säubert seinen Vorgarten von Hundekot. Fahnen wehen über dem Supermarkt.
Heute der Todessprung. Heute die große Reptilienschau. Heute die Ausstellung der Blinden und Invaliden. Auf dem Robinsonspielplatz gleitet ein Kind in einem Reifen über ein Drahtseil. An der Palisade stößt es sich ab, schwankend rollt der Reifen zur Baumhütte zurück. Ein Elektromobil schiebt die Drahtwagenschlange vor sich her über den Platz. Vor der automatischen Tür biegt sich die Drahtwagenschlange und rasselt zum Früchtestand, wo Verkäuferinnen abfüllen und abwiegen. Die Kunden springen zur Seite, und ein Beherzter dreht die Schlange in Richtung des Eingangs ab.
Meistens ist es der Wirt, der für den Gasthof die Einkäufe macht. Die Frau wird selten mit einer Einkaufsliste zu Cash&Carry geschickt. Sie macht immer

Fehler, hakt einen Posten ab, den sie einzupacken vergißt oder kauft Dinge, die der Wirt nicht auf der Liste aufführt.
Heute bin ich frei. Die Welt ist auf meinem kleinen Finger, und ich stürze kopfvoran hinein.
Das Netz der Wirtin bleibt an einem Gepäckträger hängen, sie reißt den Mopedfahrer beinah um. Sein Kopf ist bis auf einen Streifen kahlgeschoren. Die Sonne scheint durch seine abstehenden Ohren.
Aufpassen, Sie!
An seinem Eis leckend, schaut er sie böse an. Sie löst ihr Netz vom Paketträger. Die Jugendlichen blockieren mit ihren Mopeds den Eingang.
Der Supermarkt ist ein Treffpunkt. Im Dorf gibt es kein Kino, keine Diskothek, keinen Spielsalon mit Flipperkästen.
In Annas Jugendzeit sei die Dorfkirche Treffpunkt gewesen. Arnold habe auf seinem Fahrrad versucht, mit Kunststücken aufzufallen. Radelte mit Anna auf dem Gepäckträger. Sein Haar war mit Brillantine zu einer Tolle gedreht. Anna trug Petticoats und Ballerinaschuhe. Sie schwärmte für Dieter Borsche.
Lange sitzt die Wirtin zwischen Plastikbäumen auf dem künstlichen Boulevard. Wassersäulen rieseln von der Kuppe zwei Stockwerke tiefer in das Sprudelbecken. Leute schweben auf der Rolltreppe zur Decke hinauf und hinunter. Vielfarbige Glühbirnen blinken im Takt der Musik. In diesem Auf und Ab, dem Flirren und Funken, in diesem Stimmengewirr, den Regalen und den zum Kosten vor den Mund gehobenen Bissen, da ist die Wirtin eine Weile aufgehoben.

Auf dem Wühltisch Stoffe zum halben Preis. Das gedämpfte Klatschen, wenn ein Stoffballen gewendet und auf dem Schneidetisch Meter um Meter abgerollt wird. Die Verkäuferin spannt den Stoffcoupons über Daumen und Zeigefinger beider Hände, windet ihn mit pendelnder Bewegung zu einer Orgel auf. Sie rechnet ab und starrt dann auf die Ladengasse. Die Wirtin hinter ihr erkundigt sich nach Spitze.
Farbe? fragt die Verkäuferin und starrt weiter auf die Hin- und Herbummelnden. Fräulein Schneider, steht auf der Brusttasche ihres Schürzenkleids.
Die Wirtin wünscht die Stoffe zu sehen. Die Verkäuferin tastet hinter sich und läßt die Hand über ein paar Gestelle fallen.
Bitte, fleht die Wirtin.
Fräulein Schneider wirft drei Ballen auf den Tisch und starrt wieder hinaus. Die St.-Galler-Spitze ist weiß mit gelochten Blüten. Eine andere Spitze ist rot, durchsetzt mit Pailletten. Die dritte ist schwarz. Blüten ranken über ein Netz von Tüll. Sie machen die Bewegung der untergeschobenen Hand mit. Die Wirtin läßt sich von der schwarzen Spitze ein Stück abschneiden.
Federn am Meter gibt es nicht. Nur was in unseren Gestellen ist.
Fräulein Schneider bekritzelt einen Durchschlagblock, wirft Rechnung, Stoff und Nähzeug in einen Behälter und trottet der Wirtin voran zur Kasse.

Die Tage werden mir nicht mehr unter den Händen zerrieseln. Etwas wird da sein. So sehr Anna sich bemüht, sie bringt niemals Ähnliches zustande.

Die Wirtin wandert durch das langgestreckte Dorf zurück zum Haus auf der Kuppe.
In seine Mauern, seinen Zaun.

Das Kind hat den Morgen am Weiher verbracht. Was es den Fischen verfütterte, reicht für vierzehn Tage. Das Kind führt die Hand zum Mund, schließt und öffnet drei Finger.
So haben die Fische gemacht, als sie nach dem Futter schnappten.
Es ahmt schon die winzigen Gesten seiner Tante nach.
Die Wirtin versteckt ihr Nähzeug in ihrem Schrank.
Die Blätter vor ihrem Zimmer schaukeln und wispern.
Ein Duft nach Brennesseln und Honig.

Sunny Linsi hat Rauch im Haar. Ihr Haar riecht wie das Schweißband eines Hutes. Wenn Arnold die Augen schließt, denkt er an das Haar seiner Frau. Er reißt die Augen auf und betrachtet Sunny Linsi.
Er zeigt sich auffallend oft in der Bar, tut als müßte er sich über die Stimmung ein Bild machen, zählen, wieviele Gäste seine Sunny anlockt.
Anna sagt, ein neues Gesicht hinter der Theke ist so zugkräftig wie ein Umbau. An Arnolds Stelle hätte sie lange schon eine neue Bardame gewählt.
In seiner Kochbluse, vornübergebeugt, als äße er eine tropfende Frucht, unterhält Arnold sich mit Gästen. Er prahlt. Wie habe ich das gemacht? Und deutet zu Sunny Linsi. Freunde tätscheln seine Schultern. Das gibt es nur bei Arnold!

Er macht einen Schritt zurück und stellt den Fuß wieder vor. Ein ins Publikum Hinuntergestiegener, der sich gleich wieder auf seinen Platz, die Bühne schwingen will.
Es gibt dort keinen Platz für zwei. Es gibt nur eine Assistentin. Sie soll ihm Requisiten reichen, soll ihm Glanz verleihen, nicht die Show stehlen. Puppen will er um sich haben. Wie könnte er einen Menschen neben sich ertragen. Das möchte ich Anna fragen. Ich möchte die Antwort von der Schwester des Jahres hören. Oder von Sunny Linsi. Sie wird die Männer kennen. Einer will in Ruhe gelassen werden, einer wünscht all ihre Aufmerksamkeit. Und nur darum sucht er die Bar auf, damit die Bedienung gezwungen ist, sich mit ihm zu beschäftigen. Nach Jahren in diesem Beruf braucht Sunny Linsi nicht zweimal hinzuschauen.
Arnolds Aufmerksamkeit muß ihr schmeicheln. Er tanzt. Mit herausgestrecktem Hintern, die Beine weit zur Seite schwingend, dreht er eine Dame durchs Lokal, nahe an Sunny Linsi vorbei. Mit dem flachen Hinterkopf, dem Nackenwulst über dem Kragen, den schwammigen Händen ist er nicht der Mann, in den eine Frau sich auf den ersten Blick verliebt.
Und ausgerechnet er will Sunny Linsi eifersüchtig machen.

Das Kind will rote Zehennägel wie seine Tante und Haarspray auf das geföhnte Haar. Der Hund auf dem Sofa zuckt im Schlaf mit den Pfoten. Der zweite Hund hockt zwischen Blumenstöcken auf dem Fensterbrett, dreht die Ohren zur Straße. Die Lehrerin führt ihr Pferd in den Stall.

Heute möchte die Wirtin nicht mit ihrem Mann reden. Anna soll, wenn er anruft, Grüße bestellen. Es macht nichts, daß Anna, die Schwägerin, sie nicht begreifen kann. Diese betrachtet den Baum im Fenster. Im Winter hat Anna in ihren Rahmen nur dunkles Geäst.

Anna streichelt die Hunde. Für diese steht in der Ecke ein Wassergeschirr, und auf der Ofenbank liegen Kissen.

Die Frage sei: warum man dem Partner das Leben so schwer machen muß. Ich, sagt Anna, mache Anton keine Schwierigkeiten. Die kurze Zeit, da wir zusammen sind.

Er mag ihre Art, über alles zu lachen. Mag, wie sie die Arme in die Luft schleudert und wiegend vor ihm hergeht. Es gibt so viel zu erzählen, wenn Anton anruft oder kommt. Mag sein, daß der Geliebte ein schiefes Bild von ihr bekommt. Ich bin ohne Kanten, rundherum glatt, muß Anton denken. Ich bin immer munter. Habe immer ein Lied auf den Lippen. Anton glaube, die Zeit zwischen seinen Besuchen vergehe Anna rasch. Ein Tag sei so harmonisch wie der andere. Niemand, der sich wie ein Klotz an dich hängt, sagt Anton. Nie zur falschen Zeit die falsche Frage.

Es stört keinen, wenn beim Brotkauen dein Kiefer knackt, das ist wahr, Anna. Keiner dreht den Hals und schabt mit den Barthaaren über den Kragen, und du bist zum Zuhören verdammt.

Die Wirtin schätzt am Fenster den Platz ab für die Nähmaschine.

Was störe, sei die Stille, sagt Anna.
Wenn plötzlich die Hunde die Ohren spitzen, und man hört keinen Laut. Wenn du das Telefon abhebst und stellst fest, die Leitung ist nicht tot. Niemand hat bemerkt, daß du keine Reise machst. Einmal sollte man doch verreisen. Nach Brasilien zu den alten Freunden.
Und loskommen von Anton.
Aber ihr seid ja da. Mit gespitztem Mund spricht Anna zum Hund auf dem Fensterbrett.
Und das da? fragt die Wirtin und deutet auf die Sammlungen im Raum.
Und Arnold, der deinen Rat braucht? Und deine Blumen?
Zum erstenmal hat sie Mitleid mit der Schwester ihres Mannes. Sie stopft ihr die hängenden Strähnen ins Haargeflecht. Sagt, vielleicht verläßt Anton seine Frau. Die Wirtin kennt solche Fälle. Warum soll dein Anton nicht plötzlich alles stehen und liegenlassen?

Unter der Ofenbank hat das Kind einen Krämerladen eingerichtet. Beeren, Schneckenhäuser und Kiesel sind zu kaufen. Es ruft seine Ware aus, streckt eine schmutzige Hand unter der Ofenbank vor und bietet die Ware zum Verkauf.
Anna verhandelt mit dem kleinen Krämer.
Das Kind vermißt den Löwen nicht, findet Anna.
Zwischen Hochglanzmöbeln kann ein Kind sich nicht entfalten. Ihr mußtet ja Mahagonimöbel kaufen. Du wolltest Möbel fürs Auge. An das Kind hast du nicht gedacht. Es darf keinen Kratzer machen, nicht auf den

Tisch hämmern, keine Handabdrücke hinterlassen oder Wasserflecken.
Ein Kind muß herumtollen können.
Es ist ein lebhaftes Kind, Anna, zu lebhaft manchmal. Wenn es immer bei dir wäre, würdest du dich nach Ruhe sehnen.
Das Kind hat tausend Einfälle, diesen Tatendrang hat es von seinem Vater. Wieviele Streiche hat Arnold gespielt. Wie hat er die Familie in Atem gehalten.
Dein Haus ist für ein Kind geschaffen. Gewiß. Aber es ist mein Kind, Anna.

Das Glück in meinem Schoß. Und hat keine Mühe gekostet. Ein Nicken und In-Empfang-nehmen nur. Anna fällt nichts ohne Mühe zu. Die Samen, die ihr der Wind zuträgt, muß sie gießen und gegen Ungeziefer schützen. In unzähligen Kursen hat sie Buchführung gelernt, Fremdsprachen, Betriebsführung, das Taxieren von Juwelen, Volkstanz, das Restaurieren von Antiquitäten, Kerbschnitzen, Blumenstecken, Flambieren, Einmachen, Buchbinden, Reiten, die fachgerechte Reparatur im Haus, Erste Hilfe, Krankenpflege, Weinkunde, Nouvelle Cuisine. Unsere Anna, die ist die eifrigste Teilnehmerin am Volkshochschulprogramm. Sie ist unentbehrlich. Unser guter Geist. Würde der Bruder es wünschen, die Schwester wanderte zum Nordpol aus.
Aber auch ich werde nicht untätig sein. Auf irgendeine Weise werde ich in den abgeschlossenen Estrich dringen, die verstaubte Nähmaschine ölen und zum Funktionieren bringen.

Die Juwelen auf der Samtdecke bilden heute eine Trompetenblume. Die Samenfäden haben Bernsteinspitzen. Auf den Blättern liegt Diamantsplittertau. Heute ist Donnerstag. Am Donnerstag ist im Löwen Damenwahl. Da schwärmen die Frauen aus und bringen Unruhe in die Männergruppe an der Theke. Die wollten nur eben ein Bier trinken, nur einen Sprung um die Ecke tun.
Und was macht am Abend Annas Geliebter?
Das Ehepaar stößt mit Wein auf die Zukunft an, es plaudert und neckt sich. Ihr Zimmer ist so warm, als brenne ein Feuer im Kamin.
Anna wiegt in der Hand ein paar Steine. Alleinstehende machen sich von den Abenden ihrer Geliebten ein Bild voll Harmonie. Bilder, wie sie auf dem Estrich stehen: «Familie mit Schoßhund vor dem Schloß».
Anna lacht, beißt auf einen Stein, dreht ihn und setzt ihn als Knospe ein. Die Hände der Schwägerin liegen flach auf der Tischplatte zum Zeichen, wie wenig begehrlich sie auf Annas Steine ist, wie langweilig sie diese Juwelenmalerei findet.
Es gibt Abende, Tage, Nächte, die jeder Ehepartner vergessen möchte, Anna. Wenn der Mann die Frau an den Schultern packt und schüttelt. Wenn die Frau auf Zehenspitzen, den Kopf zurückgeneigt, auf einen Kuß wartet und der Mann den Oberkörper wegbiegt und sagt, du riechst nach Alkohol. Sagt, ich ertrage deinen Atem nicht.
Anna kann Arnold verstehen. Er kann immer auf das Verständnis der Schwester rechnen.
Sie schiebt die Steine hin und her, einen Karneol da,

einen Rubin dort, schweigt lange und sagt dann wie zu sich, welcher Mann ist über eine Betrunkene erfreut. Anna hat in ihrem Abfalleimer Flaschen gefunden. Viel zuviel Flaschen in der kurzen Zeit.

Zwei Tage widersteht Arnolds Frau der Versuchung des Spitzenstoffs. Sie lehnt am Schrank, aber sie holt das Paket nicht heraus. Sie legt die Hände ans Holz, aber sie befühlt den Stoff nicht, riecht nicht daran, schmiegt das Gesicht nicht in die Stoffranken.
Sie geht auf und ab vor dem Estrich, aber sie rüttelt nicht an der Tür.
Am dritten Tag bricht sie die Estrichtür auf. Mit einem Holzpflock rammt sie das Schloß. Anna ist mit dem Kind zum Supermarkt gefahren, heute ist dort Budenbetrieb. Sie kehren nicht so bald zurück.
Nach mehreren Versuchen springt das Schloß auf. Die Wirtin schleift die Nähmaschine von der Estrichluke zur Tür. Aber sie kann sie nicht allein über die Treppe schaffen. Der Bauer fällt ihr ein. Er leistet Anna oft einen Dienst, der Männerkraft erfordert.
Die Wirtin findet den Bauern im Stall. Er rollt ein Stück Schlauch von der Wand und spritzt seine Stiefel ab. Das Pferd in seiner Boxe senkt den Kopf. Über seinem einen Auge ist das Lid eingerissen. Fetzen hängen über die große feuchte Mandel. Dieses zerrissene Auge schaut die Wirtin an.
War dies Arnolds Pferd?
Es gehört jetzt der Lehrerin. Schauen Sie nicht so genau hin! Der Dreck ist manchmal knöcheltief. Nichts von Tieren verstehen, aber sich ein Reitpferd halten. Moser

schnalzt. Der Strahl zischt am Stiefelschaft vorbei auf den Betonboden.
Auch Tiere haben ihre große oder traurige Vergangenheit, je nach Laune ihres Herrn. Arnold hat das Pferd entdeckt und dem Reiter unter dem Hintern weggekauft. Liebe auf den ersten Blick.
Moser tätschelt den Hals des Pferdes, es reißt den Kopf zurück. Arnold war auf dem Pferd stattlich anzusehen. Er hat Aufsehen erregt. Ein Jahr später war er des Tiers überdrüssig.
Die Lehrerin reitet jetzt auf der Stute ihren Reitdreß aus. Die Wirtin muß sie gesehen haben, die Dame mit der Jockeymütze, den Sporenstiefeln, der anliegenden Jacke, den gebauschten Hosen.
Der Bauer steigt mit der Wirtin auf die Kuppe. Bei der Haustür schlüpft er aus den Stiefeln und geht auf Socken zum Estrich hinauf.
Er erweise gern einen Dienst. Anna hat ihm auch schon Dienste erwiesen, man hat gute Nachbarn nötiger denn je. Die Frau ist krank. Liegt da, redet kaum, und der Doktor weiß nicht, welche Krankheit sie hat.
Er stemmt die Nähmaschine vorne in die Höhe, damit die Wirtin nicht gebückt die Treppe hinuntersteigen muß. Sie tragen sie in den Salon.

Ein Glück, daß Anna alles aufbewahrt. Die Nähmaschine gehörte ihrer Mutter. Der Näharm ist versenkbar, und das Tretrad kann heruntergeklappt werden. Der Keilriemen über dem Schwungrad treibt die Nadel an. Staub liegt wie Puder auf dem Metallgestänge. Der Keilriemen ist spröd und die Nädnadel verrostet.

Die Wirtin stößt die Fensterläden auf, entfernt die Blumentöpfe aus der Nische und faltet die Häkeldecke.
Sie wirft ihren Stoff aus.
Sie setzt die Schere an.
Nach Jahren schneidet sie wieder durch Stoff.

Sie wird Anna alles erklären. Aber Anna wird die Hände vor den Mund schlagen. Mit raschen, harten Schritten gehst du zum Fenster und schließt die Läden. Wir werden uns im Dunkel gegenüberstehen, zwischen deinen Sammlungen, in deinem Salon, im Haus, das immer deiner Familie gehörte. Durch die Fensterritzen dringen Lichtstreifen. Das Zinngeschirr ist schwarz, der Schmelz des Porzellans ist verschwunden.
Wir reden nicht. Dein Mund ist ein Riegel. Ich ahne die Aquamarine deiner Augen auf mir.
Mit einer Hand fegst du den Stoff und Schnittmuster vom Tisch und stellst die Likörkaraffe zwischen uns auf die Platte.
Ich aber werde die Flasche nicht berühren.

Arnold ruft an. Er möchte seine Schwester sprechen.
Nur ich bin da, sagt seine Frau. Ob sie etwas ausrichten könne. Sie steckt den Finger in die Kabelspirale. Um was handelt es sich?
So hat sie noch nie mit Arnold gesprochen.
Geschäfte, antwortet Arnold. Ihr alles auseinanderzusetzen, habe keinen Sinn.
Sie schaut an sich herunter auf die Füße. Auch er schweigt. Die Pause ist unerträglich lang. Die Bar sei

immer voll, sagt er. Du würdest dich wundern, welch gute Gäste wir jetzt haben, Geschäftsleute, Industriebosse. Ein Rekordumsatz, richte das Anna aus.
Anna werde sich freuen. Die Wirtin wundert sich, wie höflich sie spricht, wie fremd. Sie erwartet von ihrem Mann keine Frage. Er will nicht wissen, wann er sie heimholen darf. Er bestimmt den Zeitpunkt.
Der Boden würde unter mir wegrutschen, teilte Arnold mit, daß er mich vermisse. Daß er mich braucht, als Frau, als Partnerin.
Ohne dich, Liebes, geht nichts.
Sie sagt, sie richte Anna alles aus. Seine Schwester sei vernarrt in das Kind. Und das Kind hängt an ihr. Das ist natürlich, sie ist seine Tante, ist tatkräftig, fröhlich, hat Phantasie, weiß über die gesammelten Käfer des Kindes Bescheid, kennt die giftigen und eßbaren Pflanzen und kann Geschichten erzählen. Kinder mögen das. Damit kauft man sie.
Du redest, als entfremde meine Schwester dir mein Kind.
Die Wirtin läßt das Kabel schaukeln. Es sollte nicht so klingen. Das Kind hat eine interessante Tante. Ich gönne sie ihm. Alles Glück auf dieser Erde gönne ich ihm, meinem Kind, meinem Einzigen, dem Kind aller Kinder. Bald muß es wieder auf seine Tante verzichten. Muß in den Löwen zurück, wo keiner Zeit hat und sein Dreirad vom Geländer aufgehalten wird.
Die Wirtin lacht und fährt sich durchs Haar. Wie könnte ich eifersüchtig auf Anna sein, Arnold? Wir haben miteinander eine gute Zeit. Ich erhole mich. Ich tue nichts.

Sie hört sein Atmen. Sie fragt, wie spät es sei.
Ich habe nicht angerufen, damit du mich nach der Uhrzeit fragen kannst, antwortet Arnold.
Sie hängen ein.
Die Wirtin rührt sich nicht vom Telefon fort. Der Hörer hat meine Hand verbrannt. Neben dem Apparat starrt ein jedes jetzt vor sich hin. Arnolds Stimme klingt nach diesem Anruf rauh. Zum ersten Mal wird Sunny Linsi seine rauhere Stimme vernehmen.
Vielleicht nennt Sunny Linsi den Wirt Arnold. Hütet sich, ihn vor dem Küchenburschen, der Serviertochter, den Gästen mit dem Vornamen anzusprechen.
Redet sich ein, die hätten noch nichts bemerkt. Und ist die einzige Blinde weit und breit.

Über der Stuhllehne hängt ein Schnitteil mit Heftfaden-Schlingen.
Was das werden soll?
Anna wird Fragen stellen. Man wird Rede und Antwort stehen. Auf jede Antwort wird es einen Einwand geben, dem nichts beizufügen ist. Nicht einmal ein Schulterzucken, wenn Anna fragt, wie man ihre Abwesenheit dazu benutzen konnte, ihren Salon in ein Nähzimmer zu verwandeln. Wer hier das Sagen habe. Wenn sie das jetzt Arnold erzähle. Wie der sich aufregen wird.
Die Wirtin fädelt eine Nadel ein und macht ins Fadenende einen Knoten. Auf den Stoffteilen müssen die Nähte bezeichnet werden.
Wenn Anna das Auto in die Garage fährt, räume ich alles vom Tisch und schließe die Fensterläden, denkt die

Wirtin. Die Umstellung wird dann weniger augenfällig sein. Ich komme dir entgegen mit der Nachricht, daß Arnold Rekordumsätze verzeichnet. Ich spreche nicht zur Seite, wie so oft. Unter der Haustür trete ich nah an dich heran. Du wirst merken, daß ich nichts getrunken habe. Die Veränderung, das fällt dir auf, das macht dich mißtrauisch. Du schiebst mich zur Seite, trägst die Pakete in die Küche und denkst über mich nach.

Die Wirtin geht in den Garten und öffnet die Garagetür. Sie hört bald das Auto vorfahren, aber sie verdunkelt das Zimmer nicht. Geht Anna nicht entgegen. Keinen Schritt.

Sie beugt sich über den Stoff, mit dem Rücken zur Tür, steckt die Nadel ein, zieht den Faden durch, reiht Schlinge an Schlinge.

Annas kurze, rasche Schritte kommen näher. Die Tür wird aufgestoßen. Anna bleibt auf der Schwelle stehen, reglos hinter der Wirtin. Nur das Einstechen der Nadel, das Durchziehen des Fadens, das Spannen der Schlinge. Sekunden, Minuten. Das Schweigen und die Ungewißheit, ob man von hinten angesprungen wird.

Dann fällt die Tür ins Schloß.

Arnold ruft an. Seine Schwester beklagt sich nicht über seine Frau, erwähnt sie mit keinem Wort. Die Geschwister legen die Freinachtdaten fest. Mit dem Orchester wird Anrold verhandeln, Anna fertigt die Verträge aus und verfaßt den Text, der auf die Werbeplakate von «Camel» gedruckt wird.

Mische dich nicht ein, sagte Arnold zu seiner Frau, als

sie einmal gegen ein Datum Einwände hatte. Sie mischt sich seither nicht mehr ein.
An der Küchentür des Löwen hängt ein Plan. Auf ihm sind die Freinachtdaten eingetragen, die Vorbestellungen, die Belegung des Saals, die Ferien des Personals. Die Wirtin studiert den Plan, wie alle Angestellten. Die Weisungen des Chefs werden von Anna mit Maschine geschrieben. Sie hängen in der Schrankinnentür der Gaststube und der Bar.

Das Kind hat von der Tante ein Spielzeug geschenkt bekommen. Es läßt den Ball aus dem Plastiktrichter schnellen und versucht ihn aufzufangen. Es will sein neues Spielzeug nicht aus der Hand geben.
Die Straßenampeln flammen auf. Am Hochhaus des Altersheims fallen die Rolläden.
Sind beim Supermarkt die automatischen Türen geschlossen, ist die Straße tot. Kein Mensch geht durch das langgestreckte Dorf. In den wenigen Schaufenstern sind Fahrräder, Wärmepumpen und Versicherungsplakate ausgestellt. Die Frauen auf der Kuppe haben keine Lust, sie zu betrachten. Die Geschäfte mit Neuheiten liegen alle in der Ladengasse des Supermarktes. Der Zugang ist nach Geschäftsschluß versperrt. So fällt es leicht, am Abend nie auszugehen.
Die Wirtin näht. Anna hantiert in ihrer Küche. Das Kind fängt seinen Ball. Es ist, als wäre nichts geschehen. Das Essen pünktlich zu den Fernsehnachrichten. Ein Zugsunglück, eine Geiselnahme, Verkehrsstau, das Wetter bleibt hochsommerlich warm, gegen Abend Gewitter möglich.

An der Kristallampe über den Frauen drehen sich Glasstäbe. Klirrend stoßen sie gegeneinander.
Ich glaube nicht, daß du meinen Bruder liebst.
Plötzlich bricht Anna das Schweigen. Sie fängt das Licht in der Messerklinge, während sie spricht.
Es gefalle Arnolds Frau, meint Anna, von ihrem Bruder vorgezeigt zu werden. Du bist gern Aushängeschild. Sie sehe doch, wie die Schwägerin sich auf Gesellschaften von ihrem Bruder am Ellbogen herumführen lasse, das könne sie sehen.
Früher vielleicht, antwortet die Wirtin. Heute läßt Arnold Fremde in der Meinung, ich wäre die Bardame. Treiben Gäste ihre Späße mit mir, lacht er mit ihnen.
Du beklagst dich?
Arnolds Frau weiß, was Anna sagen will. Wenn Gäste frech werden, liegt dies an mir. Du, Anna, wüßtest dir Respekt zu verschaffen.
Die Wirtin möchte sich so verhalten, daß ihr Mann zufrieden mit ihr ist. Bedeutet dies, daß ich ihn fürchte?
Annas Finger streichen eine Serviette glatt, biegen die Ecken um, drehen die Serviette, biegen noch einmal die Ecken um, stülpen die Zungen zurück, und schon verwandelt die Serviette sich in eine Rose. In der Ferne heult ein Hund.
Arnold steht in seiner Küche, kein Gedanke an uns. Aber wir, wir denken immer an Arnold. Tag und Nacht denken wir an Arnold. Die eine erinnert die andere an ihn.
Du bist unser erster und letzter Gedanke.

Die Nacht hat das Haus eingepackt. Und uns darin. Kommen im Herbst die Nebel, versinkt die Kuppe für lange Zeit. Anna könnte den Sommergarten auf die Fenster malen. Ich aber, denkt die Wirtin, werde alle Fragen der Wirtefach-Prüfer richtig beantworten. Man schenkt mir Blumen. Das Diplom werde ich neben Arnolds Diplom hängen. Den Platz für den Nagel werde ich mit dem Metermaß bestimmen. Keinen einzigen Millimeter soll mein Diplom unter dem Diplom meines Mannes hängen.

Arnold wird die Angestellten zusammenrufen. Er hat eine Mitteilung zu machen. Seine Frau ist diplomiert. Ab jetzt sitze die Chefin oben am Tisch. Er am unteren Tischende, wie immer. Die Angestellten zwischen uns.

Da nun im Löwen alles zum besten stehe, teilt der Wirt mit, werde er in Frankreich einen Spezialitätenkurs besuchen. Anordnungen treffe ab sofort auch seine Frau. Das Wort der Chefin gelte, und dies nicht nur während seiner Abwesenheit. Die Angestellten schauen von ihren Tellern auf. Sie drehen den Kopf von ihm zu ihr.

Ich packe die Arbeit mit einem Eifer an, wie es von mir niemand erwartet hätte. In der Bar bedient Sunny Linsi. Ich bin überall: wo es brennt, bin ich immer schon zur Stelle. Am Abend sinke ich ins Bett mit dem guten Gefühl eines langen bewältigten Arbeitstages. Ich werde mich wundern, daß ich früher nach derselben Anzahl Arbeitsstunden immer so müde, ausgebrannt und ohne Wunsch war. Ich werde mich überhaupt wundern, über die, die ich früher war.

Und dann werde ich mich am Morgen schon auf den Tag freuen. Vielleicht kaufe ich Fleisch ein, das keiner essen mag, denn alle haben Appetit auf Fisch. Vielleicht engagiere ich ein Orchester, lasse den Saal dekorieren und ein kaltes Buffet zubereiten. Das Aushilfspersonal wartet. Es kommen zweidrei Gäste, schauen in den leeren Saal zum Orchester, das für die Stühle spielt. Und kehren sofort um.
Das ist mein Risiko. Es könnte aber ebensogut sein, daß Andrang herrscht. Gäste stürmen den Löwen, eine Stimmung im Saal wie nie zuvor. Alles lobt, alles ist zufrieden, sie wollen bald wiederkommen. Und nach Feierabend trägt mein Mann mich auf den Schultern in die Küche. Der Hausbursche sitzt auf dem Hocker, das fettige Haar hängt über sein Gesicht, matt reißt er seinen Arm in die Höhe und ruft hurra, hipp-hipp-hurra. Ich stemme die Arme in die Hüfte und erkläre ruhig, wenn nichts getan wird, fliegen keine Späne.

Anna sagt, wir werden es schaffen, du und ich.
Sie hat eine schwierige Mission zu erfüllen. Aber sie beweist dem Bruder, daß sie es schafft mit seiner Frau.
Die Wirtin merkt, daß sie in Gedanken ihren Finger ins Tischtuch rollt. Sie glättet den Stoff. Anna steht auf, holt einen Notizblock, schreibt, Schreiner anrufen betr. Estrichtür, steht wieder auf und holt ihr Tagebuch.

Arnold bot mir ein neues Leben, das ist wahr. Mich reizte es, aus dem Neuen, dem Umrißlosen etwas zu

machen, ich gebe es zu. Es war, als faßte man in einen ganz besonderen Stoff, den man sich gefügig machen und in eine Form drapieren konnte.
Alle wollen wir das Umrißlose in Form bringen. Du, ich, alle diese Wartenden in der Löwenbar. Die Hand ums Glas gelegt, lehnen sie an der Theke, wünschen sich von Rocky-Kid «Spanish Eyes» und halten, während er spielt, den Eingang und die tanzenden Paare im Auge. Zum Zigarettenautomaten gehen sie dem Rand des Tanz-Parketts entlang, gehen so leise, als trügen sie Kreppsohlen. Wie sie sich an ihren Zigaretten festhalten, an ihren Gläsern, wie sie die Stuhlbeine umhaken und die Arme auf die Theke stützen. Sie können nicht frei dastehen.
Eigentlich möchten sie statt «Spanish Eyes» ein Stück Urwald zum Roden. Einmal mit ihrer Kraft gegen einen Baum. Bis zur Erschöpfung im Urwald Dickicht auslichten, eine Wildnis in ein Paradies verwandeln und spüren, sie könnten mit dieser Axt in ihrer Faust nicht bloß diesen einen Wald, sie könnten die Welt um- und umpflügen.
Aber lehnen an der Bar. Nach Rasierwasser duftend. Forschen in Augen, in denen nichts zu finden ist. Bardamen beherrschen ein vieldeutiges Lächeln.
In den letzten Jahren, Anna, habe ich vieldeutig an klirrenden Gläsern vorbeilächeln gelernt.

Ein Drittel des Tagebuchs ist beschrieben. Anna pocht mit dem Kugelschreiber gegen die Zähne und denkt nach. Und schreit plötzlich auf. Der Hund, sieh den Hund!

Er röchelt, die Augen treten aus den Höhlen, mit eingekrümmten Pfoten liegt er auf dem Plüschsofa. Anna wirft sich vor ihm auf die Knie.
Stirb mir nicht!
Mit Daumen und Zeigefinger knetet sie den Rücken des alten Hundes vom Kopf zum Schwanz, rennt in die Küche und kehrt mit einer Schüssel Wasser zurück. Sie klatscht dem Hund ein nasses Tuch auf die Brust, massiert wieder den Rücken. Endlich entkrampft sich der Hund. Anna stellt ihn in die Plastikschüssel. Das Wasser reicht bis über seine Pfoten. Sie setzt das Streicheln und Kneten fort bis der Hund aus der Plastikschüssel springt und sich schüttelt.
Auf den Fersen sitzend, weint Anna und lacht. Dann schneuzt sie sich und geht in die Küche, um Tee aufzugießen.
Deine Schwester, Arnold, hat richtige Tränen geweint.

Der Wirtin fällt auf, daß Anna den ganzen Abend nie den Salon betrat. Um ins obere Stockwerk zu gehen, machte sie den Umweg durch die Küche.
Als wohnte in ihrem Salon, der jetzt Nähzimmer ist, ein Geist. Hieße die Schere sich vom Tisch heben, schnappend durch die Luft schweben und auf Eintretende einzuhacken.

Der Zustand von Frau Moser ist bedenklich. Der Arzt fordert den Krankenwagen an. Anna packt einen Handkoffer mit Wäsche, legt einen riesigen Strauß dazu. Zwei Pfleger tragen Frau Moser auf der Bahre zum Krankenwagen. Mit dem Opel fahren Anna und der

Bauer hinterher. Anna mit dem Blumenstrauß im Arm. Ihre Augen über den Blüten schauen geradeaus. Sie sprechen nicht.
Das Kind quengelt, es wollte mit seiner Tante fahren. Die Wirtin holt die Puppe, tut als hätte diese in ihrer Wiege geweint, drückt sie an sich, tröstet sie. Lustlos nimmt das Kind die Puppe, tappt über die Steinfliesen und setzt sich vor die Tür.
Das Blaulicht zuckt durch die Siedlungsgärten.
Moser und Anna werden die Aufgeschreckten bemerken, ihre Bekannten, die vom Fahrrad steigen und dem Blaulicht nachschauen.
Anna wird sich fragen, wer später einmal sie ins Spital begleiten wird. Wer wird meinen Koffer packen?

Im Alter wird Anna schrumpfen. Sie trägt ein grünes Hütchen auf dem Schildkrötenkopf. Mühelos wird Arnold seine Schwester vom Bett in den Sarg legen. Ihr Sammelgut wird sie fortgegeben haben. Alles woran sie hing.
Die Übergabe der Sammlung, das ist das Ende.
Eine Anna ohne Gehortetes kann ich mir nicht vorstellen. Mit Anna kommt mir Ererbtes und Gesammeltes entgegen. Volksweisheiten, volle Truhen und Keller, ein Geruch nach Bienenwachs und Silberputzmittel.

Die Likörkaraffe ist, seit die Wirtin näht, nicht mehr fortgesperrt. Ein Glas steht daneben.
Die Wirtin schmettert das Glas an die Wand. Die Scherben kehrt sie nicht auf, steigt darüber weg und setzt sich an die Nähmaschine. Der Stoff gleitet unter

dem Näharm durch, fließt über ihre nackten Füße, die das Pedal treten.
An einem Abend wird sie in diesem Kleid hinter der Bar hervortreten. Sie teilt den Samtvorhang und geht die Straße zum Stadttor hinab. Ich hebe mich vom Boden ab. Arnold fuchtelt mit dem Arm und schreit, Bedienung. Ich aber, ein schwarzer Vogel, werde kein Mitleid haben. Ich hole das Kind auf der Zinne. Wir heben den Kopf zum Himmel und schweben über die Bäume fort.
Die Wirtin greift ins Schwungrad, dreht den Stoff und näht die nächste Bahn. Nadeln und Träume stecken in den langen Nähten. Die zehn letzten Jahre sind mir erlassen. Mein Name ist in ein Band gewoben, gold auf weiß. In jedem Kleid, das mein Atelier verläßt, steht mein Name. Ich bin in meinem Durcheinander zu Hause. Kein Platz, wo ich lieber wäre. Manche Kundinnen nehmen die Musterbücher vom Stuhl und setzen sich. Der Raum ist von den Lampen erwärmt. Sie reden, ich nähe. Und manchmal schieben wir die Stoffe auf dem Tisch zusammen und zeichnen Entwürfe aufs Packpapier. Wir vergessen die Zeit. Unsere Begeisterung ist wie ein Rausch. Weil jemand mich gut findet, bin ich gut. Ich habe meine kleinen Erfolge. Sie sind ganz allein meinem Fachwissen, meiner Idee, meinem Umgang mit Nähzeug zu verdanken. Weil ich aus einem Stück Stoff, einem Nichts, etwas schaffe.
Nicht die entzückten Ausrufe der Kundin sind wichtig. Wichtig ist, daß mir das Kleid gefällt. Und ich bin nicht rasch zufrieden. Da muß jeder Ausnäher sitzen, die

Falten müssen richtig fallen, das Bild des Musters an allen Nähten muß übereinstimmen, das Kleid innen gut verarbeitet sein. Unterfütterungen, verstärkende Einlagen, Heftfäden und Kreidestriche, alle meine Nöte mit dem Stoff, dürfen nicht einmal zu ahnen sein.

Anna hält sich dem Nähzimmer fern. Eine Weile arbeitet sie im Beerengarten, wo sie das Fenster, unter dem die Nähmaschine steht, nicht sehen kann. Später macht sie einen Krankenbesuch im Bezirkshauptort. Das Kind ist mit dem Bau eines eigenen kleinen Teichs beschäftigt. Die Wirtin kommt mit der Arbeit gut voran.
Sie stellt einen Stuhl vor den Spiegel und steigt hinauf. Sie trägt das zusammengesteckte neue Kleid. Der Stoff spannt über den Hüften und wirft unter den Armen Falten. Sie hat es zu eng gesteckt.
Wenn Arnold mich so sähe, vor Annas Goldrahmenspiegel, auf Strümpfen, mit einwärts geknickten Füßen, platzenden Nähten und Fadenschlag im Haar.
Einer andern Person aber würde ich jetzt sehr gefallen. Ich nenne keinen Namen. Du, Arnold, würdest mir den Namen ohnehin nicht glauben. Ich wolle die andere schlechtmachen, behauptetest du, und stelltest dich sofort auf ihre Seite.
Die Wirtin zieht Schuhe mit hohen Absätzen an. Sie öffnet die Nähte und steckt das Kleid zwei Zentimeter weiter.
Die Wahrheit ist, daß dein Leib vom Alkohol aufgedunsen wird, sagt Arnold. Das ist der Anfang. Der Alkohol schwemmt dich mehr und mehr auf, bis du

schließlich einem Faß mit seitlich eingesetzten Zündholzbeinen gleichst.
Mein Gesicht sei dann wie der Hintern eines Pavians, blau und rot, die Augen blutunterlaufen, vom Kopf stünden fettige Haarsträhnen ab. Ich hätte Wirtshausverbot. Hinge am Stehbuffet des Bahnhofs herum, sähe vor mich hin, wartete auf einen, der mir einen Schnaps bezahlt. Ein Betrunkener tapse nach mir. Sein tätowierter Arm rutsche über meinen Rücken.

Vor dem Haus wendet ein Auto. Ein Mieter kommt, oder Anna ist von ihrem Spitalbesuch zurück. Die Wirtin tritt das Pedal rascher. Das wird Anna milder stimmen. Sie wird annehmen, daß ich bei diesem Arbeitstempo den Salon nicht mehr lang als Nähzimmer in Anspruch nehme.
Eine Männerstimme schreckt die Wirtin auf.
Guten Morgen, ich bin Anton.
Lächelnd geht er auf die Nähmaschine zu. Er trägt einen Blumenstrauß wie eine Keule.
Sie sind Annas Schwägerin.
Er legt ihr die Hand auf die Schulter und drückt sie auf ihren Stuhl nieder. Es geht Ihnen nicht gut, ich weiß Bescheid, arme, kleine Frau.
Er schüttelt ihre Schulter als wär's die Hand. Aber Anna, sagt er, habe ein Herz. Sie sind in den besten Händen.
Die Wirtin erhebt sich, räumt Nähschachtel, Hefte und Stoff fort und bittet den Besucher, Platz zu nehmen. Er öffnet den Jackenknopf und zieht die Manschetten aus den Ärmeln.

Anna sei im Spital, teilt die Wirtin mit. Frau Moser ist krank. Anna wird bald zurückkommen.
Anton hat nicht viel Zeit. Geschäfte. Er wollte nur rasch hereinschauen. Aber selbstverständlich läßt er sich die Gesellschaft einer jungen Frau gefallen.
Mit allen Fingern fährt er durch sein Haar und lacht. In der Löwenbar ist er nie gewesen, doch hat er einmal in der Gastwirtschaft gegessen. Erinnert sich an die üppige Gemüsebeilage.
Manche sagen, das Essen für die Türken sei weniger reich garniert, sagt die Wirtin. Jemand will bemerkt haben, daß auf dem Kassazettel «Türke» stand. Arnold streitet das ab. Er wisse, welche Beilagen die Ausländer schätzen, welche nicht. Die Türken, behauptet Arnold, mögen die Art, wie er ihre Teller belege. In seiner Kochuniform stellt er sich an den Tisch der Türken. Irgendwelche Reklamationen? fragt er und schaut einen jeden an.
Keine Reklamationen, antworten die Türken.
Ich werde Ihre Blumen ins Wasser stellen. Die Wirtin reißt die Hülle bei den Blumenstielen auf.
Laufen Sie mir nicht immer fort, ruft Anton, und sie setzt sich.
Bei seinem Besuch damals war ein Gitarre spielendes Mädchen in der Gaststube. Es muß drei Jahre her sein. Juli.
Die Wirtin erinnert sich. Das Mädchen, fast noch ein Kind, verbrachte seine Ferien in der Stadt. Es stand mit den Eltern auf, ging mit ihnen zu Bett, aß schweigend und trottete auf Spaziergängen hinterher. Eines Tages kommt das Mädchen mit einer Gitarre aus dem Zim-

mer, setzt sich auf eine Stuhllehne und schlägt ein paar Saiten an. Verwundert blicken die Gäste auf. Da lächelt das Mädchen ein paar Geschäftsleute an, so verführerisch, wie es nur selbstsichere Frauen tun, und beginnt zu singen.
Die Verwandlung vom Kind zur Frau, sagt die Wirtin, geschah ganz plötzlich. Man gewann den Eindruck, das Mädchen hätte die ganze Zeit alle zum Narren gehalten. Die Eltern saßen still da, beobachteten die Wirkung ihrer Tochter und nickten sich zu. Das Mädchen hatte eine kräftige Stimme. Seine Fußspitzen auf der Sitzfläche, das Kleid über die braunen Knie hochgezogen und mit dem Körper wippend, sang es ein Liebeslied. Danach kehrte es zu den Eltern zurück und verfiel wieder in Schweigen.
Der Mensch möchte Mittelpunkt sein. Anton versteht das.
Die Wirtin schenkt ein Glas von Annas Likör ein, stellt das Glas vor Anton.
Und Ihr Glas? Er blinzelt. Er könne schweigen. Vor ihm muß man sich nicht zusammennehmen. Ihm sind die Lockeren lieber. Eine, die gern ißt, trinkt und liebt. Männer, die an einem Lustweib keine Freude haben, sind nicht normal.
Die Blumenkeule steht zwischen ihnen. Er schiebt sie zur Seite, damit er die Wirtin sehen kann.
Jetzt entdeckt er das leichte Schwitzen, die feuchten Nasenflügel. Man sehe mir die Trinkerin an, wird er später zu Anna sagen.
Dieses süße Zeug möge sie nicht. Mir wird davon schlecht, lügt die Wirtin.

Anton zeigt auf ihre Hände. Ballen Sie meinetwegen die Faust?
Sie versteckt die Hände unter der Tischplatte.
Immer vergißt sie, die Hände offen zu halten. Ihr Mann, erzählt sie, hätte am ersten Abend ihre Finger auseinandergebogen. Ich werde dir deine Embryofäustchen brechen, sagte er. Doch ich biege die Daumen immer wieder einwärts und rolle die Finger darum. Ich kann meine Hände nicht unter Kontrolle halten.
Anton weist mit dem Finger auf sie. Sie sind, wie so viele vor Ihnen, an die Brust eines Mannes getaumelt und stetig von sich abgekommen.
Die Wirtin wundert sich. So hat sie die Sache nie betrachtet. Einiges spricht für seine Theorie.
Antons Zeit ist knapp. Er schiebt mehrmals die Manschette zurück über seine Uhr. Warum setzt er voraus, daß Anna immer wartet? Einem fremden Ehemann ist sie keine Rechenschaft schuldig.
Er habe nur Anna, sagt Anton. Anna ist die einzige Freude, die er im Leben hat.
Die Wirtin beißt mit den Zähnen ein Stück Faden ab und fädelt eine Nadel ein. Wenn das so sei, sagt sie, verstehe sie nicht, warum Anton seine Frau nicht verlasse und zu Anna ziehe.
Anton gibt Versicherungen ab. Wie gerne er das täte, nichts lieber als, daß aber. Er seufzt, öffnet die Tür und horcht.
Schon auf dem Gartenweg ruft Anna Antons Namen. Er klopft auf seine Armbanduhr. Die Zeit reicht noch für einen Kuß. Dann braust das Auto die Straße hinun-

ter. Anna nimmt die Blumentüte aus dem Wasser, reißt das Papier weg und nagelt den Strauß an den Balken. Bald wird man sich die Blüten nicht mehr rot und samtig vorstellen können. Und daß sich in Tropfen darauf einmal der Himmel spiegelte.
Die Rosen hängen neben den anderen vertrockneten Rosen. Jeder Strauß ist ein Besuch von Anton, ein paar Zärtlichkeiten und ein Aufbruch zur Ehefrau.

Anna ruft den Schreiner an. Er soll die Estrichtür reparieren.
Es ist jemand eingebrochen.
Den ganzen Nachmittag rennt das Kind hinter der Tante her. Sie weiß, wie die Blumen heißen, wie man aus Tannadeln Sirup gewinnt, warum Steine sich in Kristalle verwandeln, warum die Schneckenhäuser und Muscheln leer sind.
Die Mutter weiß nichts, oder fast nichts.
Die Wirtin ist froh, daß das Kind nicht um die Nähmaschine hüpft, Stecknadeln in den Mund nimmt und mit Dreckhänden den Stoff befingert.

Die Post bringt von Arnold eine Ansichtskarte. Liebe Grüße vom Pilatus. Man habe das schöne Wetter an diesem Wirtesonntag zu einem Ausflug benutzt. Serviertochter und Küchenbursche konnten leider nicht dabei sein.
Schräg über die Karte steht der Name Sunny Linsi.
Eine Fahrt auf den Pilatus sei immer auch Annas Wunsch gewesen. Wie oft hätten die Geschwister davon gesprochen. Ihr Bruder wenigstens konnte diesen

Wunsch verwirklichen. Er schöpft Atem. Er gönnt sich etwas, jetzt, da seine Frau und das Kind bei Anna sind.
Die Karte lehnt an einem Messingkerzenhalter. Während des Essens können die Frauen die Karte betrachten.

Nachdem die Gäste den Löwen verlassen haben, die Kassen abgerechnet, die Aschenbecher geleert und die Tische aufgestuhlt sind, wird Arnold für Sunny Linsi und sich ein Tartar zubereiten. Sie machen es sich in der Wohnung über der Bar gemütlich. An Schlaf ist noch nicht zu denken. Sie öffnen eine Flasche Champagner. Einen Ellbogen aufgestützt, in der geknickten Hand den Kelch, die Füße unter dem geschlitzten Rock, kauert Sunny Linsi im Sofa. Der Wirt neigt sich zu ihr.
Und in diesem Augenblick öffnet sich die Tür, wie im Film. Lampen strahlen auf. Im Licht: die verdutzten Gesichter. Aber nicht ich bin es, die eintritt, denkt die Wirtin. Anna spaziert herein. Sie möchte wissen, ob Sunny Linsi alle Aschenbecher eingesammelt und geleert hat. Und ist Ihr Mise-en-place einwandfrei, mein Fräulein?
Alles in Ordnung, sagt Sunny Linsi und lehnt sich zurück.
Dann gute Nacht, Fräulein Sunny. Mein Bruder und ich, wir brauchen Sie nicht mehr.

Der Rosenstrauß, der erste am Balken über der Tür, stamme aus der allerersten Zeit mit Anton. Es habe

Anna bei seinen überraschenden Anrufen den Magen zusammengezogen. Sie hatte Melasse in den Knien, auf der Zunge einen Dattelgeschmack und Wolken im Bauch. Sie seien zusammen auf den Boden gesunken und hätten sich angeschaut. Damals hätte sie sich an seinen Augen nie sattsehen können.
Das Stocken, weil Anna «damals» sagte, und ihre Stimme lebhafter geworden war.
Wenn Anton jetzt vorfährt, freue Anna sich. Wenn er geht, schließe sie ohne Bedauern die Tür. Ob sie Anton oder nur die Erinnerung an die erste Zeit liebt, weiß Anna nicht. Das ist nicht leicht auseinanderzuhalten. Die meisten Leute seien Liebende eines Echos. Lauschen einer längst verklungenen Stimme nach und erwarten, daß eine neue Begegnung ihnen alles zurückbringe.
Aber da ist diese Linie. Links Anton, rechts Anna. Ab und zu ein Grenzübertritt. Manchmal belüge Anna sich, manchmal sehe sie das Verhältnis, wie es ist. Man ist eine Geliebte, gut, man wird nie etwas anderes sein. Oft beschließt sie, seinen Anruf nicht zu beantworten, nicht Ausschau nach dem blauen Auto zu halten.
Und wenn es klingelt, renne ich ans Telefon.
Mit zwanzig hat man alles gewußt. Hat eine Zukunft wie im Kino vor sich gehabt. Schwänzelte in Petticoatröcken durch den Kursaal, vom Croupier, zum Orchester, zur Toilette. Viel hing vom Gelingen des Lidstrichs ab. Großäugig trippelte man vorbei an den Burschen in grauen Schlotteranzügen und einer tief in die Stirn hängenden Zuckerwassertolle. Danach das Sich-

zieren auf dem Heimweg, das obligatorische. Halb glaubte man, das höchste Gut einer Frau sei ihre Reinheit, halb spottete man darüber.
Dann kam die erste Liebe, dann die zweite, die dritte Liebe. Plötzlich war man eine Sammlerin von Lieben. Und nichts mehr war klar.

Ist deine Näherei noch nicht zu Ende?
Anna zielt mit einer Frage ihrer Schwägerin in den Rücken.
Im Supermarkt gibt es Kleider zu Schleuderpreisen, und Arnolds Frau zersticht sich die Finger und verdirbt sich die Augen. Draußen die Sonne. Spaziergänger unterwegs, und du schließt dich ins Haus ein. Arnolds Frau. Die Wirtin vom Löwen. Die Leute müssen denken, mit dem Löwenwirt gehe es bergab. Seine Frau könne sich keine Kleider leisten, oder schlimmer, die Leute halten den Bruder für geizig.
Anna klaubt Stecknadeln vom Teppich auf. Ihr Mund ist ein Riegel. Die Nadeln rieseln aus ihren Fingern auf die Nähmaschine.
Das Kind, sagt sie, ist sich selbst überlassen, während seine Mutter sich nur um ihre Garderobe kümmert.
Die Wirtin schließt die Augen. Sie schiebt den Stuhl zurück, tastet hinter sich nach dem Nadelkissen und geht langsam auf Anna zu. Alle Stecknadeln rupft sie aus dem Nadelkissen und läßt Nadel um Nadel von großer Höhe auf den Boden fallen.
Anna taumelt zurück. Auf der Schwelle dreht sie sich, sagt, sie habe bis heute Arnolds Frau gewähren lassen. Dem Bruder zuliebe habe ich geschwiegen.

Der Bauer winkt am Morgen Anna zu sich.
Es ist Krebs.
Wie das habe geschehen können, so plötzlich. Und nie ein Wort, keine Klage, nie. Die Krankheit muß schon lange in ihr gewuchert haben. Der Arzt hat operiert. Es sei zu spät. Nichts zu machen. Man habe gleich wieder zugenäht.
Warum das so sein muß.
Und wie es andern ergangen ist.
Die und die wurden von Ärzten aufgegeben, jene flogen auf die Philippinen, wieder andere reisten nach Lourdes. Kehrten zum Erstaunen aller gesund zurück. Leben noch heute.
Warum immer die andern, an denen Wunder geschehen.

Die Wirtin breitet im Nähzimmer den Stoffrest aus. Ich werde weiternähen. Von Anna lasse ich mir nichts zerstören. Sie zieht der Puppe das Batistkleid aus. Die Puppe ist ihr Modell, sie wird ihre Kreationen tragen. Die Wirtin mißt ihren Rumpf. Der Puppenleib ist kalt. Kalt und steif wie ich. Der Leib liegt quer über dem Ehebett. Arnold kann den Alkohol riechen. Er zieht der Puppe die Schuhe aus, die Strümpfe. Er setzt die Puppe auf und versucht, das Kleid über ihre hängenden Arme, ihren pendelnden Kopf zu zerren. Dann richtet er den Strahl der Nachttischlampe auf ihren Leib. Er lacht. Seine Stimme ist rauh. Wieviele Barbesucher ihn um diesen Leib beneiden, den starren kühlen Leib. Ebensogut könnte er in einen Puppenleib eindringen.

Arnold ist nicht impotent, denkt die Wirtin. Alles Verstellung. In Wahrheit hat er sich an meinem Leib überliebt. Hat ihn satt wie das Pferd, das er der Lehrerin verkaufte.
Annas Bruder sei ein feinfühliger Mensch. Er hat eine Frau, die ihm nicht gehört, die ihn mit Alkohol betrügt. Einen Liebhaber könnte er zur Rede stellen. Aber sein Feind hat kein Gesicht. Und wenn er in der Küche auf ein Stück Fleisch einschlägt, ist seine Wut nicht gekühlt.
Seine Frau schleicht am nächsten Morgen zum Kaffeeautomaten, umklammert die heiße Tasse, ist etwas Winziges und Zitterndes, dem Arnold helfen möchte.
Arnold will helfen?
Anna hat keinen Grund, ihrem Bruder nicht zu glauben.

Gewitterwolken verdunkeln den Himmel dieses Abends früh. Die Böschung atmet aus. In der Frühe beginnt sie wieder einzuatmen. Beide Hunde rennen bellend zur Tür. Anna reißt das Flobertgewehr aus dem Schrank, rennt ins Nähzimmer. Mit dem Schaft fegt sie im Vorübergehen das Spitzenkleid vom Haken und legt am Fenster das Gewehr an.
Die Wirtin kann im Garten nichts entdecken. Jede Lampe beleuchtet nur ein kleines Feld des Weges. Die Blätter in dieser Lichtlache sind deutlich zu sehen, aber die dahinterliegenden Büsche sind im Dunkeln. Die Hunde jagen über die Wege, ihr Gekläff muß die Bewohner in der Siedlung wecken.
Anna schaut über Kimme und Korn, ihre Wange stülpt

sich auf. Der Gewehrlauf schwenkt langsam durchs offene Fenster, der Finger spannt den Hahn. Ein Schuß. Anna drückt ab, Arnolds Schwester, wahrhaftig, hat geschossen.
Da hast du! ruft sie in den Garten und läßt das Gewehr zwischen die Füße fallen. Die Wirtin horcht hinaus. Sie kann nichts hören, nichts entdecken.
Wir müssen nachsehen, Anna.
Geh, wenn du magst.
Ihre Schwägerin hat vielleicht einen Menschen verletzt.
Hoffentlich, sagt Anna, steigt über das Spitzenkleid weg und schließt das Fenster.

Die Wirtin läßt den Kopf kreisen. Das Genick knackt, zu lange hat sie sich über die Nähmaschine gebeugt. Sie wandert zum Baum und lehnt sich an den Stamm.
Ich gehe schon aufrechter, Arnold.
In dem neuen Kleid werde ich eine Windbraut sein, flattere einmal in die, einmal in jene Richtung. Anna lasse ich in ihrem Paradiesgarten zurück.
Im Vorübergehen streift ihre Hand über den Rosmarinzweig. Sie wird lange noch nach Kräutern duften. In diesem Garten hat jeder Bezirk seinen Duft. Unter dem Baum riecht es nach Borke. Auf den verschnörkelten Gartenstühlen wird man von Rosen fast betäubt. David auf seiner Säule steht im Glyzinienduft, und die Steinputte pißt ins feuchte Moos. Beim Rhododendronwall riecht es säuerlich nach nassem Laub. Eine Wegbiegung später schon würzen Kräuter die Luft. Heugeruch entsteigt der Wiese unter den Terrassen. Der Brackwasser-

geruch des Teichs erfüllt die Ebene. Und am Ende des Gartens duften Apfelbäume.
Alles wächst und blüht. Keine Linien. Alles ist verschlungen, alles hat ein Geheimnis zu verbergen. Man muß suchen, um Windungen gehen, Büsche und Bäume umzirkeln, und endlich wird man von einer Farbkaskade überrascht, man findet einen Bach, einen Brunnen, eine Figur. Und schon morgen ist die Figur überwuchert. Die kokosnußgroße Knospe eines Riesenkerbels reckt sich an dieser Stelle. Übermorgen rinnt der Blütenschaum aus, am Abend spreizen sich die ersten Dolden. Und bald wird ein Blütenrad sich zur Sonne drehen, und weitere Blütenräder beginnen, es zu umrollen.

Arnolds Frau hebt eine Versteinerung auf.
Im Blühen und Summen und Krabbeln dies Abgestorbene. Muscheln, Kristalle, spitze, züngelnde Steinumrandungen, Figuren und behauene Steingefäße.
Mit dem Finger fährt sie den Rippen nach. Die Schale des Ammonshorns ist zur Spirale gewunden. Das Kind kennt von Anna die Geschichte dieser Versteinerungen. Die Tiere schwammen auf dem Meer. Die vorderste Kammer diente als Wohnkammer, die übrigen waren luftgefüllt. Ammonshörner lebten ein kurzes Erdzeitalter. Und für eine Ewigkeit sind sie in Stein geschlossen.
Verkommen zu einem Schaustück in Annas Garten. Teil einer Raritätensammlung. Beispiel eines Lebewesens, das versteinerte und für ewige Zeit nun in seiner letzten Haltung sichtbar ist.

Der Garten ist eine Raritätensammlung, Arnold. Deine Schwester ist süchtig nach Kleinoden. Sie verwöhnt sich in dem Maß, wie ihr Anton sie vernachlässigt. Einen Hund zu jeder Seite sitzt sie vor dem Haus und schaut über ihre vom Sonnenuntergang übergoldete Pracht.
Sie hält sich Sammlungen, weil es sonst nichts gibt, an dem sie sich halten könnte. Auch an dir, ihrem Bruder nicht. Nicht, solange du mir gehörst.
Arnold wird die Hände an der Schürze trocknen. Er zieht Gespräche mit Gästen vor, für diese fallen ihm lustigere Antworten ein.
Ich renne hinter ihm her. Deine liebe Schwester, schreie ich. Sunny Linsi soll es hören.
Die liebe Schwester, alles muß sie haben, alles reißt sie an sich.
Und da hebt Arnold die Hand zum Schlag. Alle Verachtung sammelt sich in seinem Gesicht. Eine Weile sehen wir uns in die Augen. Er läßt die Hand sinken. Sie ist ihm zu schade für mich.

Jemand da? ruft der Mann im gestreiften Übergewand. Er sei der Schreiner. Anna kriecht aus den Himbeerzweigen und führt den Schreiner zum Estrich. Jede Woche sei irgendwo eine aufgebrochene Tür zu reparieren. Des einen Freud, des andern Leid.
Während er hämmert und Anna draußen in den Beeten scharrt, schlüpft Arnolds Frau in das neue Kleid.
Es ist eng auf den Körper geschnitten. Durchsichtige Spitze, ein Hauch von Stoff, der ihren Leib umwindet mit Blüten und Blättchen. Eine Haut aus vernetzten Ranken. Die Stickerei bedeckt Arme und Brüste, wird

unter dem tiefen Rückenausschnitt zusammengerafft und schwingt weit nach hinten aus. Die Kanten von der Achsel zum letzten Rückenwirbel sind gewellt. Der Saum ist mit mehreren Schichten Tüllvolants besetzt. Die Ärmel verlaufen in einer Spitze zum Mittelfinger.
In solchen Roben lassen Mannequins sich für *Vogue* fotografieren. Lehnen an einer Marmorkonsole, strekken eine Satinfußspitze vor und lassen die Finger locker über den Marmorrand hängen. Die Wange schmiegen sie an die hochgezogene Schulter. Blasses Licht fällt auf ihr Gesicht. Man sieht sie wie durch Gaze. Sie lächeln nicht. Ihr Mund ist unendlich zart, unendlich fern. Ihre Brüste werden von dem Gitterwerk zusammengehalten. Sie atmen nicht, sie sind aus Porzellan. Sie sind für den Stoff da, der Stoff ist nicht für sie da. An ihrem Leib wird die Stickerei zur Geltung gebracht. Er hat genau den Ton, den die schwarze Stoffmalerei verlangt. Er ist der richtige Untergrund.
In der Bildlegende einige Hinweise auf das Modell. Seine Einmaligkeit. Sein raffinierter Schnitt. Seine Verarbeitung. Diese Robe stammt aus dem Haus der Häuser, dahinter mein Name, fettgedruckt.

Jemand wie Anna nimmt die Zeitschrift vom Salontisch und überblättert das Bild. Jemand wie Anna läßt die Zeitschrift sinken und denkt sich hinter den dicken Mauern die schönsten Szenen einer Ehe aus. Stellt sich Arnold vor, den Löwen, Stimmengewirr, Lachen, Körper, die aufeinander zugleiten, sich miteinander drehen. Das Fließen von Farben. Tangomusik. Und dort unter der Tür das Kind, einen Teddy im Arm. Es stolpert

über die Pyjamafüße und wird vom Wirt ins Bett getragen. Er klappt den Silberdeckel einer Taschenuhr auf und hält dem Kind die tickende Uhr ans Ohr.
Jemand wie Anna ist nicht überrascht, ein Klavier aus den Gewitterwolken fahren zu sehen. Arnold auf einem Hocker. Auf der Seite schwirren Schwingen. Er spielt Himmelsmusik. Ich, die Frau, schlüpfe aus den Goldsandalen. Unter dem Lüster umfasse ich mit einer Verbeugung die Luft und beginne zu tanzen. Der Boden ist fort, ich schwebe. So leicht war ich noch nie. Mit vor dem Leib gekreuzten Armen hebe ich den Kleidsaum, streife den Stoff über den Kopf und werfe das Kleid in die Luft. Wie eine Flocke sinkt es vom Leuchter herab.
Die Melodie bricht ab, mit einer schrillen Dissonanz. Und der Klavierdeckel knallt zu. Ich verharre, die Hüfte noch verdreht und den Arm hochgereckt. Versteinert mitten in der Bewegung.
Jemand wie Anna lächelt.
Jemand wie Anna geht im rosaroten Salon auf und ab, hin und her, von Möbelstück zu Möbelstück, während im Löwen geredet und getrunken wird. Laß uns wieder zusammen singen, ruft die Schwester dem Bruder über die Hügel zu. Er setzt sich ans Klavier. Und im Haus auf der Kuppe singt die Schwester ein Lied. Über dem Kopf klatscht Anna in die Hände. Doch Arnold hat für die tanzende Schwester keinen Blick.

Für Sunny Linsi hat er vielleicht einen Blick. Hat für sie diese Seligkeit, die Anna nie in sein Gesicht zaubern wird.

Sunny Linsi arbeitet zufriedenstellend. Jeden Abend eine schöne runde Zahl. Ihr Bruder, sagt Anna, sei zufrieden.
Die Wirtin holt ihr Kleid. Sie dreht es am Bügel, zeigt die Raffungen, die Tülleinsätze, spreizt die Hand unter der Spitze und läßt den Volantfächer aus den Fingern springen.
Es gibt nicht nur Zahlen.
So hätte sie früher sprechen müssen, damals als Arnold sie überredete, das Nähatelier zu verkaufen. Wie rasch er das Geschäft liquidierte. Hat im Handumdrehen alles zu seiner Zufriedenheit erledigt. In Geldangelegenheiten ist er tüchtig. Das liegt in der Familie. Ich mußte immer nur da sein, hübsch, gut gelaunt, der Anziehungspunkt in der Löwenbar.
Wenn wir Geschwister uns um die Geschäfte kümmern, meint Anna, ist das für dich von Vorteil. Du mußt dir den Kopf nicht zerbrechen. Alle Sorgen werden dir abgenommen. Keiner wird dir am Mißlingen die Schuld geben. Du brauchst dir die Marrons-glacé-Augen nie auszuweinen.
Die Schneiderei bezeichnet Anna als eine nette Beschäftigung. Wann man denn so etwas tragen könne? Sie fährt von unten nach oben über die Volants. Die Zeit der Bälle ist vorbei.
Anna war fünfundzwanzig Jahre alt, als Arnold sie zum letzten großen Ball führte. Er im Smoking mit Fliege auf der plissierten Brust, sie im Shiftkleid, schlank wie ein Reh. Sie habe für einen Offizier geschwärmt. Aber wir sind immer zusammen nach Hause gegangen, Arnold und ich.

Die Wirtin hält sich das Kleid vor den Leib. Sie glättet die Spitze. Das wievielte Kleid das sei, will Anna wissen.
Es geht nicht darum, ein Kleid mehr im Schrank zu haben, Anna. Ich bin keine Sammlerin.
Anna zieht die Nadeln aus den Haaren und schleudert die Flut nach vorn. Sie lacht auf.
Sich vorzustellen, ihr Bruder müßte seine Frau in diesem Kleid von einem Ball nach Hause tragen. Du als Mischung zwischen Sirene und Wolke, betrunken auf seinem Arm.

Draußen die hängenden Wolkenbäuche. Ruß daran. Der Baum dreht seine Blätter. Bald platzt der Regen, schlägt mit Ruten gegen die Fenster und fährt gurgelnd in die Kanäle. Ertränkt das Haus in seinem Garten.
Und uns darin.
Anna flicht ihr Haar zu einem Zopf und deutet mit dem Kopf zum Nähzimmer. Morgen ist Schluß. Morgen wird das hier aufgeräumt.
Sie steckt Kerzen in den Silberständer. Entflammt ein Streichholz. In ihrem Nagellack gehen winzige Lichter an.

Im Löwen warten die Gäste. Hoffen, daß es aufhört zu regnen. Oder daß einer eine Schlägerei anzettelt. Sie wollen noch nicht heimkehren in die eigenen Wände mit den Fenstern in die bekannte Landschaft hinaus.
Der Türke wirft seit Stunden Münzen in den Spielauto-

maten. Die Lichter springen über die Bilder von Früchten, ohne daß Münzen in die Auffangschale rasseln. Die Türken sind die ruhigsten Gäste. Rufen nie nach Sunny Linsi, sitzen am Tisch unter der Lampe und spielen Karten. Ist ihr Glas leer, räumt Sunny Linsi es fort und fragt nach weiteren Wünschen. Sie beschweren sich nie, wollen noch nicht gehen, haben weitere Wünsche. Der Löwen ist das einzige Lokal, in dem sie sich treffen können.
Arnold sagt, solange die Türken sich ruhig verhalten, sind sie geduldet. Wenn er im ganzen Lokal Dämmerlicht einschaltet, die Türken ihre Karten nicht mehr erkennen, warten sie, schauen den tanzenden Paaren zu, ihr Blatt in den Händen.
Warum Türken nicht nach Licht schreien, wortlos dasitzen, ohne Verständigungsblick untereinander, ohne gemeinsame Wut, warum sie ihren Menüteller immer gut finden, wenn Arnold vor ihnen steht, darüber müßte ein Anschlag an der Küchentür kleben.
In andern Lokalen sind die Tische reserviert, an die sie sich setzen möchten. Im Löwen ist eine Ecke frei. Hier erscheint alle halben Stunden Sunny Linsi und fragt nach den Wünschen der Herren.

Am Morgen steht die Wirtin in einem ausgeräumten Nähzimmer. Die Maschine ist fort, der Tisch, die Kommode. Der Teppich ist aufgerollt, ihre Schritte hallen. In aller Frühe hat Anna die Möbel fortgerückt, um, wie sie sagt, gründlich putzen zu können. Dieser Stoffstaub hat sich in die Ritzen gesetzt. Überall Fäden und Nadeln. Und eine Luft zum Abschneiden.

Am Stewi trocknen schon die Vorhänge. Putzgeräte lehnen am Täfer. Anna umwickelt den Besen mit einem Tuch und zieht ihn über Wände und Decke.
Die Nähmaschine steht im Treppenhaus. Das Pedal ist aufgeklappt, der Näharm versenkt.
Wie für die Ewigkeit, denkt die Wirtin.

Etwas in ihrer Brust klappt um.
Mit dem Gesicht zur Baumkrone liegt die Wirtin unter dem Baum und sieht in die Lichtnester. Die Glieder sind aus Stein. Das Tuch des Liegestuhls sackt durch. Sie wird immer schwerer. Sie kommt nie wieder hoch. Der Stuhl wird unter ihr zusammenbrechen.
Die Geschwister werden in die Kellerbar steigen und sich beraten. In der Familie ist ein solcher Fall nie vorgekommen. Auch nicht in Nebenlinien.
Arnolds Frau trinkt nicht mehr, ißt nicht mehr und rührt sich nicht. Die Geschwister kalkulieren Vor- und Nachteile. Arnold ist auf mich, seine Schwester, angewiesen, das ist ein Vorteil, denkt Anna. Aber lasse ich sie ohne Hilfe, kann ich meine Heilkunst nicht an ihr beweisen. Das ist ein Nachteil. Anna beschließt, einen Sud zu kochen. Sie packt die Steinglieder der Schwägerin in nasse Tücher.
Sobald ich das Knie wieder beugen kann, ruft Anna den Bruder an und macht ihm mein gebeugtes Knie zum Geschenk.

Aus der Anordung der Kiesel wächst, wenn die Wirtin lange hinschaut, eine Fratze. Das Ächzen im Holz wird zu einem Seufzen. Auf der langen geraden Straße

könnte sie zum Supermarkt wandern, wo auf Knopfdruck die Rolltreppen zu fahren beginnen, Türen auf- und zuschweben, könnte hineinspazieren in die Welt, die der Mensch unter Kontrolle hält.
Sie holt die Likörkaraffe. Seit sie zu nähen begann, hat sie nicht getrunken. Die Welt ist nicht so, daß man sie nüchtern betrachten mag.
Die Blätter über ihr stürzen in den Himmel.
Ich muß aufpassen, daß sie mich nicht mit sich reißen.
Die Wirtin geht lange im Garten, hinunter zum Teich und zur Anhöhe zurück, biegt in immer andere Wege ein, in eine andere Falte des Dickichts. Geht durch diesen Garten mit seinen lautlos wuchernden Pflanzen, seinem Modergeruch, seinen unaufhörlich platzenden Samenkapseln.
Irgendwo ruft das Kind nach seiner Tante. Die Mutter vernimmt die Stimme wie durch Wattelagen.
Eine Lust hier zwischen der Thuyahecke mich einfach auf den Weg fallen und von Moos überwachsen zu lassen.
Wo die Geschwister mich nie finden.

Das Kind beugt sich über die Gießkanne, steckt den Kopf beinahe ins Wasser. Es gibt darin etwas, das seine Aufmerksamkeit erregt. Blitzschnell taucht es seinen Arm ein und fischt eine Maus heraus. Es hebt sie an der Schwanzspitze in die Höhe, betrachtet das Zappeln der Beinchen und das Herumwerfen des Pelzbündels. Es trocknet die Maus mit dem Zipfel seines T-Shirts. Trägt sie im Käfig seiner Hände herum und schaut immer wieder durch die Finger.

Die Tante hat heute keine Zeit, sie putzt das Haus. Die Mutter mag sich nicht von ihrem Platz erheben. Das Kind kehrt zur Gießkanne zurück und wirft die Maus hinein. Man hört das Fiepen. Das Kind holt die Maus wieder heraus, trocknet sie, streichelt und begütigt sie. Trägt sie herum. Mit dem Fuß kickt es einen Stein. Es kauert sich daneben, setzt die Maus auf den Pyrit am Wegrand. Und plötzlich schmettert es den Stein auf die Maus. Das Pelzhäufchen klebt am Pyrit. Blut tropft daran herunter.
Die Wirtin betrachtet den Himmel durch die Karaffe. Er ist leer. Es kommt nichts Schönes, nichts Entsetzliches darin vor. Für eine Weile ist das angenehm.

Den Nachmittag über quietscht Fensterleder übers Glas. Häuser haben einen Geist, sagt Anna. Ein Haus kann ein Freund sein oder ein Feind.
Ob ein Bewohner eins mit sich ist, ob er seine Verlorenheit in die Räume atmet, Anna kann es spüren. Ihre Ahnungen täuschen nicht. Ihr Fingerspitzengefühl sagt alles. Man hat es oder hat es nicht. In ihrer Familie haben es alle.
Spürt Anna Bedrückung, muß in dem Raum gelitten worden sein. Ist ein kühler Hauch um ihre Stirn, war der Bewohner ausgeglichen.
Im Haus auf der Kuppe hat ein schlechter Geist zu herrschen begonnen. Den treibt Anna jetzt aus. Schrubbt und bohnert und schabt ihn aus allen Ritzen.

Am Abend ist Anna bei sich wieder zu Hause. Sie, das Kind, die Hunde, ich. Wir sitzen im Salon, lassen den

Wind durch die duftenden Vorhänge wehen, bemerken unsere Schatten im Möbellack und freuen uns am Schimmern der Goldleisten auf dem sahnefarbenen Täfer. Die Spitzendeckchen sind gestärkt, die Sammlungen kommen besser zur Geltung.
Keine Nadel, nirgends. Vorbei das Girren der Tretmechanik. Ruhe. Auch in uns, sagt Anna, ist alles licht und hell.
Wir beginnen noch einmal von vorn.

Nach einem Monat im Haus auf der Kuppe kann die Wirtin noch immer nicht schlafen.
Ein Auge müßte gemalt werden.
Mein riesenhaftes Auge.
Die Straße in eine hügelige Landschaft schiebt sich aus der Pupille heraus. Das Rollband läuft. Die Straße verlängert sich. Sie nimmt kein Ende. Figuren fahren aus dem Auge. Rüttelnd biegen sie um die Kurven. Eine fällt, eine spreizt sich, fängt sich auf. Die Figuren rollen hinauf und hinunter. Sie wirken täuschend echt. An ihrem Kragenaufschlag hängt ein Herz.
Die Wirtin schaut in die Blätter über sich. Ihre Bilder finden alle auf einem kleinen Buchenblatt Platz.

Es passiert jetzt, daß sie unter dem Baum liegenbleibt, obwohl die Schwester ihres Mannes zum Essen gerufen hat.
Es ist ihr weder lästig noch angenehm, bei Anna zu wohnen.

Sie kann die Stille hören, hat ein Gefühl für die Tiefe und Weite des Himmels. Der Horizont ist blaß, damit das Haus auf der Kuppe sich nicht im Himmel verliert. In den falschen Schuhen läuft die Wirtin sich im Garten die Füße wund. Köpft Rosen. Fläzt sich in den Liegestuhl.

Anna hat sich überlegt, wie man den Löwen ohne allzuhohe Kosten verändern könnte. Ein Grillroom verzinst sich schlecht. Arnold soll die Farbe entfernen, das Holztäfer abbeizen und sandstrahlen lassen. Mit einem Naturholztäfer wird die Gaststube alt und gemütlich wirken. Der Teppichboden in der Gaststube wird durch Plastofloor ersetzt. Und die Tischtücher besorgt Anna im Direktverkauf ab Fabrik. Als Zeitpunkt der Renovation schlägt sie Arnold die flaue Zeit zwischen Weihnachten und der zweiten Januarwoche vor. Die Fremdarbeiter sind dann im Ausland. Auch über Musikbox und Spielautomaten hat Anna sich Gedanken gemacht. Die bleiben am alten Platz, die bringen Geld ein.
Was würden wir ohne unsere Anna tun? Arnold würde sinnlos Geld in den Löwen investieren. Geld, das sich nie verzinst.
Es mache ihr nichts aus, meint Anna, wenn Arnolds Frau sie beim Einkauf der Tischtücher begleite. Sie kennt schon Farbton und Webart.

Hast du gehört, fragt Arnold, wir machen keinen Grillroom, wir renovieren auf alt.
Die Wirtin schweigt.

Arnold, man darf einem Menschen nicht soviel Macht über sich einräumen. Worte in den Wind, sie kann ebensogut schweigen. Wer bin ich denn, Arnold zum Zuhören zu zwingen.
Sie reicht Anna den Hörer.
Sich ausruhen soll Arnolds Frau. Ein wenig mit der Zukunft beschäftigen. An Arnold denken und an das Kind. Vor allem an das Kind.
Anna läßt beim Telefonieren ein Bein über die Armlehne hängen, stützt den Ellbogen auf den Schenkel und schmiegt ihr Kinn in die Handfläche. Sie plaudert und lacht. Ihre Haarfäden im Gegenlicht. Anna hat kein Haar, ihr wachsen Daunenfedern um den Kopf.

Am Fenster das Wippen der Zweige. Die roten flirrenden Blätter.
Es tut weh, sagt Anna, im Herbst Blätter dahinwehen zu sehen. Und zu wissen, die Nebelzeit kommt, die langen Nächte. Dann denke sie, daß unter jedem Blatt eine Knospe treibt.

In der düsteren Küche könnte Arnolds Frau ihrer Schwägerin stundenlang beim Rühren in den Töpfen zusehen. Die Wangen von der Hitze aufgequollen, beugt Anna sich über das Brodeln. Und manchmal darf das Kind kosten. Es rollt die Augen und reibt sich den Bauch, bringt damit die Tante zum Lachen. Sie schlenkert das Kind durch die Küche.
Es hat eine fröhliche Tante, Arnold. Eine Hexentante. Sie braut ein Elixier in ihren Töpfen. Die Krähe auf ihrer Schulter blickt einmal mit dem rechten, einmal mit

dem linken Auge zum kochenden Liebestrank. Ihr Rezept verrät die Hexentante nicht. Sie hat keine Kinder. Sie raubt sich eines, mästet es, zieht es zu Hilfsdiensten heran. Wenn es weglaufen will, spricht sie den Zauberbann.

An Föhntagen sind die Berge zu sehen.
Auf einen dieser blauweißen Gipfel sind der Wirt und Sunny Linsi gefahren. Konnten die Richtung des Aufenthaltsortes von Frau und Kind an der dicken Wolkensäule des Atomkraftwerkes erkennen.
Dort wohnt die Schwester.
Und Arnold schob Sunny Linsi eine Karte zum Unterschreiben hin. Der Kellner spricht sie mit Madame an. Ihr Tee, Madame. Sie legt den Kopf an Arnolds Schulter und läßt sich bräunen.

Ein blaues Auto hält am Gartenzaun. Der Geliebte überrascht Anna beim Umgraben. Er muß in die Westschweiz. Eine Sitzung. Er ist gekommen, um Anna abzuholen. Übermorgen sind sie zurück. Er kennt ein zauberhaftes Hotel, weiß, wie sie den Abend verbringen und was sie essen werden.
Nur Anton und Anna und diese zwei Sonnentage.
Anna zerrt ihre Stiefel von den Beinen und rennt ins Haus. Wir verreisen! Der Wirbel ihrer Arme bringt an der Decke die Trockensträuße zum Tanzen. Anna duscht, nimmt ein Kleid aus dem Schrank, hängt es zurück, weil sie sich darin nicht gefällt und an Tagen wie heute alles von der richtigen Wahl abhängt.
Arnolds Frau soll beraten.

In Straps rennt sie vom Zimmer ins Bad, ins Zimmer, stürzt eine Schublade mit Wäsche aufs Bett, wühlt in Höschen und Hemden und Büstenhaltern. Geschenke von Anton. Er mag kostbare Wäsche, Strumpfhosen haßt er. Darum trägt Anna Straps. Sie hängt Strümpfe mit Ziernaht daran.
Der Lippenstift verläuft in die Fältchen um ihren Mund. Anna wischt ihn ab, legt stattdessen Glanz auf. Arnolds Frau wählt ein silbergraues Kleid mit einem tiefen V-Ausschnitt für den großen Tag der Schwägerin. Hängt das Kleid an den Schrank. Während sie Tasche und Schuhe sucht, die passen, und Anna die Augen schattiert, hören sie die Haustür zuschlagen. Sie stürzen ans Fenster und sehen das wegfahrende blaue Auto.
Anna wirft sich auf ihr Himmelbett und weint.
Deine Schwester, Arnold. Die Schwester des Jahres.
Hat Ziernahtstrümpfe an den Beinen und weint.

Die Wirtin verbringt jetzt die Tage im Garten. Um sie das unermüdliche Keimen, Blättertreiben, Aufstengeln und Entfalten. Futter suchende Vögel. Mosers Landwirtschaftsmaschinen. In der Ferne das Dröhnen der Cars und Lastwagen, unterwegs für Sie.
Wo ich den Fuß hebe, richten Gräser sich auf. Aber auch ich bin nicht untätig, sagt die Wirtin zur Buche. Ich atme. Ich lasse mein Haar flattern im Wind. Ich schaue aus mir heraus. Auf meinen Wunsch wachsen blaue Rosen. An jedem Stengel klebt eine goldene Etikette. Man reißt sich um die Blumen. Ihr Preis ist hoch. Im Löwen stehen auf allen Tischen blaue Rosen. Der Saal ist ein tiefblaues Meer. Die Gäste staunen, und der

Wirt lacht. Was dieser Tausendsassa von Schwester alles kann, sagt er.
Ich trete vor und kläre den Sachverhalt. Diese Züchtung ist von mir.
Der Baum rauscht auf. Er spricht. Arnold wird dich für betrunken halten, sagt er. Die Wirtin kann die Sprache des Baums verstehen. Sie nickt und antwortet ihm.
Ich nehme nicht an, daß mein Mann mich lobt. Ich werde Arnold bedeuten, sich niederzuneigen, damit ich eine meiner Blauen an seine Kochmütze stekken kann. Mein Bild in seinen Augen, mehr will ich nicht.
Der Baum wedelt mit allen Ästen.
Die Überraschungen kommen jetzt Schlag auf Schlag, Baum. Ich werde meinem Mann eine viereckige Tomate zeigen.
Er wird sie für eine Laune der Natur halten, entgegnet der Baum. Er zeigt das Gemüse seinen Gästen, keiner hat je eine Quadrattomate gesehen, doch kennen alle Tomaten mit Auswüchsen.
Ich aber habe, sagt die Wirtin zum Baum, Dutzende in meinem Korb. Eine spieße ich auf die erhobene Löwenpranke. Saft tropft zu Boden. Man könnte glauben, der Löwe hätte sich im Zuschlagen an diesem viereckigen Gemüse die Pranke aufgerissen.
Sind, was du da zu züchten gedenkst, Waffen oder Tomaten, fragt der Baum.
Die Wirtin nimmt die Hände von der Borke. Sagt nicht, wie sehr dieser Vergleich sie trifft. Daß sie mit viereckigen Tomaten im Auge ihres Mannes die Aquamarine sprengen will.

Anna bindet einen Musterstrauß nur so im Vorübergehen. Wählt aus dem Haufen Rispen einige aus, zupft sie zurecht und schüttelt Samen aus den Kapseln. Sie rasseln auf die ausgebreitete Zeitung. Um jeden Stiel wikkelt sie einen Draht. Biegend und streichend und pressend kämmen ihre Finger durch den Strauß, formen ihn geschickt zu einem Kegel, einem Turm, einer Kugel, einem Kranz in fein abgestimmter Farbe.
So macht man das!
Vor solchen Sätzen gibt es keine Flucht.
An der Blutbuche hängt ein Schild mit diesem Satz. Die Bienen tragen ihn an ihrem Hinterleib. Er steht im Fischmaul, das nach Futter schnappt.
Der Trockenstrauß von Arnolds Frau ist für die Müllabfuhr. Die Blüten sind zerdrückt, ein paar Rispen geknickt, der grüne Steckkitt scheint durch die Stengel.
Manche lernen es nie, meint Anna. Sie fühlen sich für Neues zu alt. Wenn das Leben ihre Erwartungen korrigiert, sind sie verloren.
Viele in Annas Alter stellen fest, sie haben den falschen Beruf, den falschen Partner und wohnen in der falschen Klimazone. Dies und das ist verpaßt, das sehen sie ein, doch sie haben nicht mehr jede Wahl.
Du bist jung, sagt sie zu Arnolds Frau, in deinem Alter könnte man noch etwas aus sich machen.
Ohne Fleiß kein Preis.

Arnolds Frau wandert im Kreis.
Immer um das Haus, über die Terrassen hinunter zum Teich und zurück.

Das Zusammensitzen nach Feierabend ist Sunny Linsi und dem Wirt zur Gewohnheit geworden, denkt die Wirtin.
Es hat nichts zu bedeuten, werden beide zu sich selber sagen. Und sie wünschen, daß Küchenbursche und Kellnerin es ebenso sehen. Es handelt sich um des Wirts und seiner Aushilfe Feierabend. Es geht ums Nicht-allein-im-Zimmer-sitzen. Um Erholung. Um ein Gespräch. Um zweidrei Augenblicke. Das ist alles.
Der Wirt hat eine Frau. Sunny Linsi vergißt das nicht. Und er wird sich auch daran erinnern, viel zu oft wird er sich erinnern. Schon die herzförmigen Zettelhalter auf der Pinnwand, die Möbel nach ihrem Geschmack, daß er Sunny sein „Liebes" nennt, und die Marzipangarnitur von seinem Kuchenstück auf das ihre versetzt.
Zum ersten Mal sieht Sunny Linsi den Wirt ohne Speckgummisohlen. Er geht auf Socken in der Wohnung umher. Was frage ich, wird Sunny Linsi zu sich sagen, nach einem Zivilstand, Vertrag, einem Ring. Diese Verzichtenden mögen zwischen Buchdeckeln und auf Bühnen vorkommen. Im Leben gibt es das nicht, denn wir, Arnold und ich, sind nicht aus Zelluloid, sondern aus Fleisch und Blut.
Die Bedeutung dieses Abends in einem langen Leben wollen der Wirt und die Aushilfe nicht überbewerten. Sie mögen sich. Es ist eine chemische Reaktion, eine Formel.
Dieser Abend wird aber doch zweidrei Augenblicke wert sein, denkt die Wirtin. Einen Ausdruck, den Sunny Linsi am nächsten Tag in Arnolds Gesicht wie-

derzufinden hofft. Mein Liebes, auf eine bestimmte Weise ausgesprochen. Eine Berührung. Und jedes möchte vom andern wissen, wie es die Stunden der Trennung verbracht hat.
Und die Wirtin? Deine Frau!
Sag nichts, Liebes. Nicht jetzt, nicht in diesem Augenblick.

Die Wirtin liegt unter der Buche, läßt sich von den Blättern fächeln. Anna gräbt um jeden Tomatenstock einen Erdwall, bindet die Schosse an den Pfahl und breitet eine gelochte Plastikhaube darüber.
Die Wirtin beobachtet Anna. Im Liegestuhl wippt sie mit dem nackten Fuß und beobachtet die Schwägerin. Zum Lesen hat sie keine Lust. Die aufwühlendsten Erlebnisse passieren immer nur im Kopf.
Die meiste Zeit verbringt der Mensch gedankenlos, meint Anna. Er ist blind, taub und fühllos, das halbe Leben rinnt ihm weg. Nur ab und zu kommt ihm ein zusammenhängender Gedanke, den er aussprechen, den er in sein Tagebuch schreiben könnte.
Im Grunde gibt es mich gar nicht, Anna. Ich bin die Erfindung von jemand anderem. Die Person, die mich erfindet, sieht für mich einen Aufenthalt bei der Schwägerin vor. Ich würde mein Kind mitbringen, würde mich in einem großen, stillen Garten aufhalten. Es geschähe nichts oder fast nichts. Blumen, die blühen und welken, das Kind wächst ein Stück, manchmal ein Spaziergänger, selten ein Besucher, in der Nachbarschaft eine Geburt oder ein Tod. Mir, der Erfundenen, ginge einiges durch den Kopf, denkt die Person. Ich

stellte mir dieses oder jenes vor, hätte die und die Gefühle, handelte so und so.
Anna sagt, deine Phantasie ist dein Untergang.

Die Wirtin setzt sich am Teich auf den Steg und läßt die Beine ins Wasser hängen. Die Oberfläche ist geriffelt, in dieser Gegend weht immer eine Brise. Lichtwellen fließen über ihre Waden. Der Wolkenhimmel rast über sie hinweg. Die gedämpften Stimmen von Schwägerin und Kind dringen durchs Schilf.
Werden die Enten kommen?
Bestimmt werden sie kommen. Warum sollten sie nicht in ihr kleines Haus einziehen und Junge haben.

Auf ihrem Himmelbett packt Anna die Reisetasche. Es soll nie wieder passieren, daß Anton ohne sie wegfährt. Ein knitterfreies Kleid, Schuhe, Waschzeug, Schminkutensilien, alles, was Anna für ein Wochenende braucht, ist in der Tasche. Wenn Anton kommt, ist Anna bereit. Holt ihre Sachen, verriegelt die Haustür und hüpft ins Auto. Dazu braucht sie keine fünf Minuten. Unterwegs zieht sie sich um.
Anna schiebt die Toilettensachen auf dem Überwurf zusammen und packt sie ein.
Die Anna liebe, seien unerreichbar. Immer ein Hindernis, eine Landesgrenze, eine Ehefrau. Eine Beziehung ohne Schwierigkeiten konnte ihr Interesse nie längere Zeit wachhalten. Das sei wie mit den Orchideen aus Brasilien. Es ist schwierig, sie zum Blühen zu bringen. Sie spreche mit ihnen, denn Blumen haben Seelen. Manchmal antwortet die Blume mit einer Blüte. Das ist

dann im Zählrahmen die rote Perle. Würde diese Orchidee eingehen, wäre es, als sterbe ein Freund.
Anna liegt auf dem Rücken und läßt die Jadekette um den Finger schwingen. Die Kette überschlägt sich, klinkt aus und schleudert in den Spiegel.
Annas getroffenes Spiegelbild. Es müßte von der Wand splittern und in tausend Scherben übers Himmelbett fallen.
Anton möchte mit Anna zusammenleben. Nichts lieber als das. Von der Ehe halte er zwar nichts. Er bezeichnet sie als das Armenhaus der Erotik. Es seien immer die Verheirateten, die den Alleinstehenden die Ehe ausreden. Während sie selbst sich an die Heiratsurkunden klammern, reden sie uns die Ehe aus.
Anna dreht sich auf den Bauch und grabscht nach der Kette. Die Wirtin lehnt am Fenster neben dem Orchideentopf. Sie lacht. Ihre Schwägerin ist es doch, die das Alleinleben preist. Du redest unserem Küchenburschen das Heiraten aus. Du sagst, dein Bruder hätte die Marrons-glacé-Augen besser nie gesehen, und der dumme Bub mußte auch noch um jeden Preis die standesamtliche Versicherung für diese Augen abschließen. Das sind deine Worte, Anna.
Sie erinnert sich nicht. Sie läßt die Kette in die Reisetasche fallen. Das Grün der Kugeln paßt zum Kleid.
Der Bruder leide. Anna kann nicht zusehen, wie er sich quält. Ringsum Ehen, die in Brüche gehen. Auch Anton, ihr Geliebter, harre nur aus Rücksicht aus. Seine Frau sei fünfzig, ohne ihren Mann verloren, und Anton sei verantwortungsbewußt. Doch es ist die Hölle.

Auch Anna wird in wenigen Jahren fünfzig. Auch für Anna ist es spät.
Wem sagst du das?
Hätte man ein Kind, denke sie oft. Aber sie weise diesen Wunsch immer in Schranken.

Nach dem Nachtessen sitzen die Frauen auf der Gartenbank. Der Hund legt seinen Kopf auf Annas Schenkel.
Es ist kühl. Die Fenster bleiben offen, damit man draußen das Telefon klingeln hört. Anna neigt den Kopf zur Seite und spricht leise mit dem Hund.

Deine Schwester, Arnold, wartet.
Auf einen Anruf. Auf ein Entenpaar. Auf das blaue Auto.
Dies ist nun ein Sommer im Leben unserer Anna. Dafür erwacht sie, dafür steht sie auf und richtet sich her.

Früher ja, da habe Anna erwogen, Anton zu Hause anzurufen.
Deine Frau oder ich. Wähle! Hänge nicht ein!
Sie würde, dachte sie, einfach den Hörer abheben, die Nummer einstellen, und gegen eine Telefongebühr von fünfzig Rappen richtet sie an ihn die entscheidende Frage.
Etwas hielt sie zurück.
Man soll nur Antworten fordern, die man verkraften kann. Das Schlimmste ist der Zweifel, denkt man. Aber das Schlimmste ist Gewißheit.

Zu ihren Füßen steht die pissende Putte. Sie ist von Moos überkrustet. Die Blattzungen der Maiglöckchen berühren die dicken gespreizten Beine, die pummeligen Hände, die an Arnold erinnern. Anna hebt den Hund von ihren Knien und stellt ihn auf den Boden. Die Frauen wandern durch den Garten. Feuchtigkeit steigt aus den Büschen.
Ich werde die Unterlagen für die Wirtefachprüfung studieren, Anna.
Du?
Anna tätschelt den Arm von Arnolds Frau und lächelt. Das sind nicht die Phantastereien eines Kindes, liebe Anna. Ich melde mich für die Wirtefachprüfung an.
Gewiß doch, gewiß.
Die Hunde balgen sich, rennen um den Rosenstrauch und kugeln übereinander.
Anna kenne eine, die zieht an Silvester Bilanz. In ihr sei dieses Jahr viel passiert, gibt sie bekannt. Sie sei eine andere geworden. Und im folgenden Jahr hat sie wieder dies und jenes eingesehen und alles Frühere abgelegt. Daß sie die alte geblieben ist, merke Anna am neuen Silvesterbrief.
Und, fragt Arnolds Frau, warum erzählst du das?
Anna wickelt sich in ihr Schultertuch. Es gibt Leute, sagt sie, die ihr Leben dazu verwenden, eine Bronzefigur von sich zu gestalten. Sie möchten dem geschaffenen Abbild ähneln. Strengen sich an, ihm zu gleichen, und wünschen von anderen so gesehen zu werden. Das wollte Anna sagen.

Die Hunde oder das Kind oder der Wind haben einen Blumenstengel geknickt. Er lappt über die Steinumfassung des Wegs. Hast du den Eisenhut geknickt, fragt die Mutter das Kind.
Es weiß nicht, wovon die Mutter spricht. Es beschädigt nichts. Nie.
Alles was die Wirtin über Blumen weiß, hat Anna ihr beigebracht. Anna kennt den Standort aller Pflanzen. Eine jede hat ihre Eigenschaft. Anna weiß sie zu nutzen. Sie bereitet Tee oder macht Umschläge oder gewinnt aus Wurzeln ein Pulver.
Ich lerne von deiner Schwester, Arnold. Bald wird das Gemüse, das du in der Küche verarbeitest, von mir, deiner Frau, gezogen worden sein. Werkzeug auf der Schulter stapfe ich in Annas grünen Stiefeln durch den Garten. Bei jedem Schritt schlappen die Gummischäfte gegen meine Waden. Die Stiefel verändern meinen Gang. Jemand, der am Zaun vorübergeht, muß mich für Arnolds Schwester halten. Er kann sehen, wie ich die Werkzeuggarbe von der Schulter kippe, eine Armlänge Bast von der Spule wickle und in der Hocke Stauden am Stock befestige. Mit den Händen grabe ich eine Vertiefung in den Erdkegel. Die Gießkanne drücke ich in die Regentonne und trage die schwappende Kanne zur neugesetzten Pflanze. Unermüdlich richte ich mich auf, hebe die Arme und wippe mit der Hacke zu Boden. Den ganzen Nachmittag über kann man die Steine unter meiner Hacke aufklingen hören.
Doch, Arnold, es gefällt mir hier.
Du sollst nicht denken, daß es mir bei deiner Schwester nicht gefällt.

Der schöne Blick aus meinem Fenster. Dieses Grün. Und diese Ruhe.
Ja, ich nehme an meiner Umgebung teil. Es geht mir besser von Tag zu Tag.
Deine Schwester hat nicht zuviel versprochen.

Das Kind will Popsänger werden. Mit gegrätschten Beinen steht es im gesichelten Gras, tut, als begleite es sein Geschrei auf einer Gitarre. Das hat es im Supermarkt gelernt. Mit allen Gliedern zuckend, schlägt es auf die gedachte Gitarre, macht plötzlich einen Sprung, krümmt sich, schüttelt das Haar und verzerrt sein Gesicht.
Und seine Tante tanzt. Sie steppt den Kiesweg entlang, die Arme an den Körper gepreßt. Nur ihre Füße schnellen vor und zur Seite und zurück. Als Mädchen hat sie stepptanzen gelernt. Auf dem Estrich irgendwo liegen noch Steppschuhe mit Metallplättchen an Absatz, Fußspitze und Fußballen.
Was kann Anna nicht?
Womit überrascht sie morgen das Kind und mich?
Es gibt Nächte, da habe Anna bis zum Umfallen getanzt. Die geschwollenen, brennenden Füße habe sie erst gespürt, wenn die Musiker ihre Instrumente einpackten. Das war zur Kursaalzeit des Geschwisterpaars.
Das Musikalische habe das Kind von der Familie. Arnold mußte nie Klavierstunden nehmen. Eines Tages klappte er einfach den Klavierdeckel auf und begann zu spielen. Anna sieht ihn noch, den Buben, auf seinem hohen Schemel, wie er die Töne eines Schlagers zusam-

mensucht und vor Anspannung die verdreckten Zehen krümmt.
Eine Zitronenhälfte lutschend, läßt sie sich auf die Steinbank fallen. Die Flügelärmel ihres Gewandes rutschen über die sommersprossigen Arme zurück.
Arnold mag nicht, wenn ich singe, sagt die Wirtin. Du singst nicht, findet er, du stellst dich zur Schau. Er meint, ich würde ihn zum Gespött machen.
Anna leckt die Zitronenfinger ab. In diesem Garten, sagt sie, kannst du singen. Wenigstens wenn Moser nicht in der Nähe ist. Hinter den Büschen sieht und hört dich niemand.
Für Arnold bin ich der unmusikalischste Mensch.
Du solltest dich sehen, mit dem Mikrofon auf Rocky-Kids Podest, betrunken. Du schwankst, der Blick schwimmt dir fort.
Für die, die man liebt, will man sich nicht schämen müssen.

Am Nachmittag läßt Anna die Schwägerin ein Kontoblatt in die Schreibmaschine spannen.
Wenn die Ehefrauen spüren, daß ihnen alles entgleitet, lernen sie Maschine schreiben. Wenn sie spüren, daß nichts sich festbinden läßt, finden sie zu Gott. Anna diktiert, was Arnolds Frau tippen soll.
Reparatur der Lichtanlage
Passivmitgliederbeiträge für Männerchor, für Fußballklub
5 Dutzend Silberlöffel
Anna hat das Besteck ergänzt? Beim Verbuchen der Rechnung fällt es der Wirtin auf.

«Zum Löwen» wird nicht mehr auf den Besteckschaft graviert, schon lange nicht mehr. Wußte Arnolds Frau das nicht? Zuviele Gäste haben das Besteck nach dem Essen in die Serviette gewickelt und in der Tasche verschwinden lassen. Obwohl Arnold auf seinem Begrüßungsrundgang das Besteck heimlich wieder aus ihren Taschen genommen hat, ist im ersten Jahr die Hälfte des Silbers verschwunden.
«Gestohlen im Löwen» wollte Arnold in das Besteck gravieren lassen. Sie, Anna, habe von einem Aufdruck abgeraten. Seither werde wenig Besteck gestohlen.
Anna blättert Rechnungen durch, scheidet einige aus. Die Rechnungen für alkoholische Getränke müssen auf einem separaten Kontoblatt verbucht werden.
Nicht einmal das hat Arnolds Frau gewußt.
Mein Mann sagt mir ja nichts.
Du hast nie Interesse gezeigt. Wie hätte mein Bruder sich glücklich geschätzt, wenn du einmal, ein einziges Mal Interesse gezeigt hättest.

Die Wirtin tippt, bis das Farbband ansteht und die Typen Löcher schlagen. Nach dem Auswechseln der Spule ist das Kontoblatt mit Fingerabdrücken verschmiert. Die ganze Arbeit umsonst.
Annas nachsichtiges Lächeln. Ihr Blick.
Anna bittet Arnolds Frau, ihr den Platz an der Schreibmaschine zu überlassen. Sie hat geahnt, daß Maschineschreiben der Schwägerin Mühe bereitet. Dazu ein Kontoblatt. Die Bedienung des Tabulators. Zahlen, die untereinander geschrieben werden müssen.
Anna schreibt alle Kontoeinträge neu.

Die farbbandschwarzen Fingerspitzen ineinanderverkrallt, schaut die Wirtin beim Verbuchen von Kreditoren und Debitoren zu.

Das Kind schreit nachts nach seiner Tante. Die Tante soll kommen. Die Tante soll es zudecken und eine Geschichte erzählen.
Am frühen Morgen das Scharren von Gartenwerkzeug. Anna gebückt zwischen Sträuchern.
Die Wirtin schlägt die Decke zurück. Dann fällt ihr ein, daß sie Anna im Wege steht und ihr alles unter den Händen zerbricht.
Sie sinkt zurück aufs Kissen.

Wie Trinken auffällt, wenn der eine stumm zuschaut, wie der andere sein Glas füllt.
Beharrlich betrachtet Anna die leererwerdende Flasche, die ums Glas gekrümmten Finger der Schwägerin.
Und ich habe doch gestern einen Plan gehabt, ich wollte doch, ich weiß nicht was.

Stoßen wir an!
Nehmen wir's leicht!
Tanzen wir? Oder stehen wir mit den Gästen an der Löwenbar?
Der Verkauf des französischen Champagners ist um 10,9 Prozent zurückgegangen. Aber dieser Saint Saphorin, dieses Bouquet. Das beste aller Weinjahre. Darüber

läßt sich reden. Oder über Frühsommertage. Die blauen Wiesen am frühen Morgen, die fernen Hügel. Die erste totgefahrene Katze. Über die Fahrbahn verstreute Vogelfedern.
Hubacher baut ein kolossales knallrotes Gebäude für Sie. Kräne werden aufgestellt. X Parkplätze, X Musterzimmer, X Arbeitsplätze, Steuereinnahmen. Das sind Fakten. Das wischt keiner vom Tisch.
Die Liladame dort hat gekreischt. Die Liladame hat uns unterbrochen. Sie hat das Glas auf die Theke geknallt. Der Herr mit dem Hut rückt von der Liladame ab, er sucht keinen Streit. Alle Arbeitslosen, Hungernden, Unterdrückten, Ausgebeuteten fallen der Liladame ein. Das macht sie traurig. Das macht sie angriffslustig. Das Unglück der Welt lastet auf der Liladame. Wie hätte sie Zeit, jemanden zu lieben. Wie könnten jene Verletzungen, die sie ihrer Umgebung beifügt, sie da noch rühren.
Aber man kann sich irren. Man ist kein Sachverständiger. Wir sehen in keinen hinein.
Die grünen Arme der Tanzenden verästeln sich.
Dies ist keine Bar.
Dies ist ein Garten.
Ein Nummerngirl knickst und trippelt in pelzverbrämten Stiefelchen rasch um den Teich. Fanfarenstöße, Trommelwirbel.
Da springt die Angekündigte ins Licht. Und lächelt. Und ist traurig.
Man sagt, sie sei des Wirts Frau.
Ich bin die Besetzung seiner Theke. Das behauptet sie.

Stunden unter dem Baum.
Ein Baum ist wie ein Mensch, sagt Anna. Du kannst mit verbundenen Augen die Nähe eines Baumes spüren. Ein Gefühl, als schneide dir einer die Sonne ab.
Die Wirtin erklärt, wie gern sie sich im Halbdunkel des Baumes aufhält. Das rötliche Geschiebe über ihr beruhigt. Das Kribbeln in den Kniekehlen läßt eine Weile nach.
Nur in die Blätter schauen, im Liegestuhl mit hängenden Armen. Nichts wünschen und von niemandem beobachtet werden.

Sunny Linsi ist mehr als ein Ersatz. Eine Perle. Arnold fühle sich frei wie nie. Lache. Blühe auf. Er ist wie früher, sagt Anna.
Der Wirtesonntag gehört jetzt ihm. Zum ersten Mal nach zehn Jahren. Ein geschenkter Tag. Die Schwester freut sich für den Bruder. Er hat entdeckt, was Wirten bedeuten kann. Er widmet sich seinen Gästen.
Jetzt, da er nicht immer ein Auge auf dich haben muß. Er geht nicht wie andere Leute zu einer Arbeit außer Haus und kehrt nach Feierabend zurück. Er ist immer im Löwen und empfängt Menschen bei sich. Sie plaudern. Plötzlich ist es Nacht. Er geht zu Bett. Und am Morgen, wenn er die Gaststube betritt, sind wieder andere Menschen da. Ein neuer ausgefüllter Tag.
Warum hat ihr Bruder seine Frau nicht eher ins Haus auf der Kuppe gebracht. Anna wundert sich.
Und lange kein Wort gesagt. Und mußte doch wissen, daß er vor ihr, der Schwester, nichts geheimhalten kann.

Dem Personal gegenüber habe man geschwiegen. Aber das Personal war nicht blind. Die Kellnerin hätte im Papierkorb leere Musterflaschen entdeckt. Und die Wirtin habe immer öfter in Rocky-Kids Mikrofon gesungen.
Da konnte mein Bruder deinen Zustand vor der Öffentlichkeit nicht mehr geheimhalten.
Was das für ihn bedeutet habe. Für die Familie, das Kind.

Spinnwebfäden spannen sich von Zweig zu Zweig. Strichweise glänzen sie auf. Und Motorengeräusche aus den Siedlungsgärten. Ein Nachmittag der Rasenmäher. Das Schreien des Kindes am Teich ist fast nicht zu hören.
Ameisen laufen über meine Haut. Sie bauen Höhlengänge in meinen Leib. Anna wird mich aufschneiden. Zeigt dem Kind das Labyrinth. Die kunstvolle Architektur, sieh sie dir an, die unnachahmliche Statik.
Die Wirtin springt auf und hetzt über die Wege.
Wieder im Kreis.

Die Ankunft des blauen Autos wird nur von Anna bemerkt. Sie habe dafür ein Gehör. Eher ein Spüren als ein Wissen. Im Rennen streift sie die Gartenhandschuhe von den Händen und richtet ihr Haar.
Anton trägt Trauerkleidung.
Ein Freund ist gestorben. Offiziell bin ich an einer Beerdigung. Aber ich bin da, Anna, bei dir.
Er stellt sich neben sie, drückt ihren Kopf auf seine Schulter, lächelt. Wie für ein Bild.

Jede freie Minute, die ich herausschinden kann, verbringe ich mit Ihrer Schwägerin, sagt er zu Arnolds Frau.
Mit dem Verstorbenen ist er zur Schule gegangen. Könne seinen Tod noch immer nicht glauben. Selbstmord. An einem Morgen frühstückt er mit seiner Familie. Verabschiedet sich mit einem Kuß von der Ehefrau und bringt die Tochter zur Schule. Die Armbanduhr läßt er auf dem Nachttisch liegen. Nach einer Woche findet man sein Auto an einer Flußschnelle geparkt.
Anna zupft am schwarzen Ärmel. Anton folgt ihr ins Haus, reißt sich im Gehen die Trauerkrawatte auf.
Durchs offene Fenster kann die Wirtin das Paar sehen. Von hinten legt Anton seinen Arm um ihren Leib. Das Kleid gleitet von Annas Schultern. Seine Finger schieben sich unter die Strumpfbänder, spannen sie und lassen sie schnellen. Anna hüpft fort. Er fängt einen Schenkel, lachend stolpern sie miteinander übers Bett. Tauchen weg vom Fenster. Im Himmelbett wird Anton die Geliebte in ihrer Glanzwäsche um- und umrollen, wird in ihren Spitzeneinsätzen wühlen, in den Lavendelfarben, dem Stoff aus Gletschereis, seinen Männerträumen. Anna kann im Spiegel seinen gebeugten Rükken sehen. Wie er über ihr kniet, an ihren Strumpfhaltern zerrt und an den Gummischnallen nestelt. Wie sein Rücken sich rhythmisch bewegt.

Die Wirtin ruft das Kind. Sie schließen hinter sich leise das Gartentor, wandern hinunter zu den Siedlungsgärten.

Die Bewohner unter Sonnenschirmen oder beim Gärtnern. Einer kennt die Spaziergänger. Er läßt die Schaufel im Boden stecken.
Sie sind Arnolds Frau, und dies ist Arnolds Kind. Sie sind bei seiner Schwester zur Erholung.
In einem Dorf wüßten die Leute mehr, als man ahne.
Die Wirtin erschrickt. Sie will gehen.
So bleiben Sie doch!
Der Mann steigt über einen Busch und kommt zum Briefkasten. Georg Lutz, steht auf dem Schild. Er bittet Arnolds Frau in seinen Garten, holt Gläser und Saft und rückt die Korbstühle zurecht. Ein zum Band gefaltetes Taschentuch ist um seine Stirn gebunden. Die Zipfel lappen über seine Ohren. Er macht über die Gärten weg eine Handbewegung.
Da staunen Sie, was aus den Bauparzellen der Geschwister geworden ist.
Das Quartier heißt Vogelsang. Die Straßen tragen die Namen von Vögeln. Dies ist der Finkenweg. Hier wohnen junge Paare. Viele Kinder. An schönen Abenden trifft man sich. Da laufen hier Grillapparate. Es duftet bis zum Haus auf der Kuppe. Man hört das Geplauder und Lachen bis in die Nacht.
Die Bewohner können Anna sehen, in dem großen Garten, mit ihren Hunden, allein. Einladungen lehne sie ab. Sie mag die Siedlung nicht. Braust im Auto vorbei, das Gesicht geradeaus, als wären links und rechts nur Felder.
Das Peddigrohrgeflecht malt Tupfen auf die Arme und Beine. Herr Lutz will ein Biotop schaffen, darum die Grube. Einmal hätte er von einem Garten nach japani-

schem Vorbild geschwärmt. Sand, Felsplatten, Rinnsale, ein Vogelhäuschen wie eine Pagode. Und einmal wollte er klare Linien. Einen Bauhausgarten mit plattengefaßtem Rasen, der wie ein Teppich auf dem Waschbeton läge. Alles gebändigt und kalkuliert. Keine Blumen, keine grellen Punkte, keinen Wildwuchs. Aber verschiedenfarbenes Grün.

Jetzt wächst hier eine Blumenwiese.

Die Wirtin hat Gärten immer für ungenutzten Baugrund gehalten. Bis ich zu Anna kam. Zum Haus auf der Kuppe gehört ein Teich. Es gibt darin Seerosen. Frösche laichen, und Libellen flirren um die Rohrkolben. An einer anderen Stelle ist der Garten ein Schloßpark. Nur kleiner. Buchshecken säumen Beete, Rosenbäumchen ragen aus Vergißmeinnicht. Kieswege unterteilen den Garten. Es gibt darin Wildnis, exotische Winkel, Ausblicke auf Statuen, ein Alpinium, Moorbeete und Plantagen.

Der Garten ihrer Schwägerin ist die zusammengeschüttete Wunschlandschaft der Familie. Von allem etwas. Die Welt auf die Quadratmeterzahl ihres Gartens verkleinert.

Ihre Schwägerin scheint sich nicht auf nur eine Landschaft beschränken zu können.

Ja, sagt Arnolds Frau. Ich habe das nie so gesehen.

Das Kind hält sich das Glas vors Gesicht und schnaubt hinein. Das Glas beschlägt.

Herr Lutz geht nie aus. Am liebsten ist er im Garten. Kehrt er von der Arbeit zurück, zieht er bequeme Kleidung an. Es gibt immer eine Arbeit, die zu tun ist. Oder er liegt da und denkt.

Die Wirtin schaut aufs Tischtuch hinab.
Mich lähmen die Geräusche der Tätigen.
Sie zeigt ihre Hände. Zwei linke Hände. Ich zittere, weil ich das Kind ein Stück getragen habe, sagt sie und faltet rasch die Hände zwischen den Knien.
Meine Schwägerin läßt mich nie wirklich etwas tun. Manchmal hole ich ein Werkzeug und lasse es durch die Luft sausen, dann wieder bin ich zu müde, einen einzigen Schritt zu tun.
Herr Lutz fährt nach der Arbeit durch den Stadtverkehr. Für eine Strecke von fünfhundert Metern braucht er mehr Zeit, als für das Autobahnstück zum Dorf. Dann weiß er, warum es ihm in seinem Garten gefällt. Gärten, sagt Lutz, sind ein Modell der Welt, wie wir sie wünschen. Eine Neuschaffung der Welt.
Meine Schwägerin richtet die Jahrhunderte wieder auf. Ihr gelingt auch das. Ihr gelingt alles. Sie ist immer geschäftig. Was sie berührt, verwandelt sich. Sie schont mich und rackert sich ab.
Kann Hilfe hilflos machen, Herr Lutz?
Darüber hat er nie nachgedacht. Er wäre hilflos als Kranker. Und nur dann, wenn er kein Geld besäße und sich keine Hilfe leisten könnte.
Ich muß Gartenschuhe kaufen, sagt die Wirtin. Grüne Stiefel, wie Sie sie tragen. Annas Garten wuchert. Die Staffel der Büsche wächst. Die Blätter winden sich um das Haus und versiegeln es. Die Blätter sind aus Metall. Und keiner wird kommen, sich mit dem Schneidbrenner einen Weg durchs Dickicht bahnen und mich mit einem Kuß erwecken.
Sie haben Phantasie.

Die Phantasie ist mein Untergang. Anna kann sich in keine Kopfwelt zurückziehen. Wann denn? Wie denn? Da ist die Arbeit in Haus und Garten, die Buchhaltung für den Löwen, da sind Wünsche von Arnold und der kranken Frau Moser. Anna sei glücklicherweise gesund und stark wie ein Pferd. Ihre Sorge ist, wie sie allen Ansprüchen an sie gerecht werden kann. Ihr nimmt keiner etwas ab. Sie ist stark, weil sie sich Zartheit nicht leisten kann. Sie schreit nicht, rauft sich nicht das Haar, macht keinen Auftritt. Es gibt ja niemand, den sie damit erschrecken könnte.
Herr Lutz schenkt Gläser voll oder hört zu, die verschränkten Hände vor dem Mund.
Mein Mann meint, meine Talente würden sich darin erschöpfen, dekorativ hinter der Bartheke zu stehen.
Herr Lutz lacht. Arnold sei immer sehr dekorativ auf einem Pferd gesessen.
Das Pferd gehört der Lehrerin.
Das weiß Herr Lutz. Und daß im Löwen jetzt keine Betriebsferien sind. Die Wirtin also aus einem besonderen Grund zu Anna gekommen ist.
Ich bin des Kindes wegen gekommen.
Das ist klar, sagt Herr Lutz hinter seinen Daumennägeln.
Wir kehren bald zurück, sagt die Wirtin. Eine Frage von Tagen. Ich werde gebraucht. Mit Aushilfen ist es so eine Sache.
Herr Lutz zweifelt nicht daran. Falls Sie trotzdem länger bleiben, sagt er, Sie sind hier jederzeit willkommen.

Das Auto steht nicht mehr vor dem Haus. Anton ist nicht lange geblieben. Er kann kaum Zeit für einen Kaffee gehabt haben. Ist aufgestanden, hat die Trauerkleidung angezogen, hat sich mit einem Klaps von Anna verabschiedet.
In seiner Gegenwart beginne sie immer zu rennen. Anna denke an seine Armbanduhr. Er klopft mit dem Zeigefinger aufs Glas, denn sein Terminkalender ist voll von geschäftlichen Verabredungen, Einladungen, Veranstaltungen, Geburtstagen. Die Frau, die Kinder, Freunde, Sport, Geschäft. Sie komme sich vor, als etwas ins Antonleben Hineingequetschtes. Manchmal könnte sie heulen und weiß, sie hat dazu keinen Grund, da er ja jede freie Minute ihr widmet.
Er trägt im Kalender den Buchstaben A ein. Das erinnert ihn daran, Anna anzurufen. Er telefoniere und hake den Eintrag ab. Anton schreibt in den Kalender, Geburtstag A, er kauft ein Geschenk, läßt Blumen schicken und hakt den Eintrag ab. Er schreibt, Besuch A, er besucht Anna, streicht dann die Stunden mit Filzstift durch.

Anna drückt den Busch nieder und ruft nach dem Kind. Es hat einen Frosch gefunden, hat ihn mit einem Stock durchbohrt.
Mein Kind. Trägt über seinem Kopf das zappelnde Tier wie eine Fahne. Sein Siegesgeheul schallt vom Teich herauf. Den Stock schwingend, rennt es der Tante in die Arme.
Ein grausames Kind. Besser als kein Kind, wird Anna denken.

Es ist für ein eigenes Kind zu spät, irgendwann gestand Anna sich das ein. Zum erstenmal wurde ihr klar, daß eine ihrer Möglichkeiten versiegt ist. Ein Schock. Von einem Tag auf den andern bist du alt. Und dachtest immer, wie frei du bist, wie unerschöpflich die Möglichkeiten.
Sie sei gern allein. Trotzdem halte man das Alleinsein für eine Übergangszeit. Und warte. Die Jahre ziehen sich hin. Du verschiebst die Edelsteine zum tausendsten und abertausendsten Bild mit immer gichtigeren Fingern. Aber die Zeit, auf die du dich eingerichtet hast, trifft niemals ein. Und dir wird klar, statt auf das Besondere, hast du all die Jahre auf den Tod gewartet.

Aus den drei Karten, die die Wirtin auf ihrer Herzseite aufdeckt, prophezeit Anna der Schwägerin Kummer und Sorgen mit einem Mann. Eine Amtsperson wird sich einschalten, der Schaufelkönig deutet darauf hin. Außerordentliches Glück in geschäftlichen Angelegenheiten aber wird trösten. Von einer ihr nahestehenden Frau ist eine Enttäuschung zu erwarten, die Dame zeigt es an.
Das steht alles in den Karten?
Das und noch viel mehr.

Arnolds Anrufe sind kürzer. Er braucht seltener einen Rat. Nach dem Aufhängen fallen Anna viele Fragen ein.
Wer von uns beiden holt Offerten für die Renovation der Gaststube ein?

Will Arnold nächste Fastnacht eine andere Musikkapelle?
Warum müssen schon wieder Silberlöffel gekauft werden. Wirft deine Sunny die Bestecke zusammen mit den Gedecken in den Eimer?
Warum hat er für diese wichtigen Fragen nie Zeit?

Annas ängstliches Forschen entgeht der Wirtin nicht. Arnold entgleitet ihr. Entgleitet uns beiden. Trotzdem: die Schwester entschuldigt den Bruder nach jedem Anruf. Ihr Bruder hat viel zu tun. Wir sind fleißige Leute. Im Löwen ist viel los. Die Gaststube voller Gäste, die Bar besetzt, der Saal, die Tische vor dem Haus.
Und du hier.
Der Bruder braucht eine tüchtige Frau. Eine, die nicht traumverloren durch die Bar tappt. Eine, die das Richtige zur richtigen Zeit...
Jetzt muß alles einmal ausgesprochen werden.
Die Frauen sitzen auf der Steinbank am Wasser. Der Granit ist sonnenwarm. Ein Sommerabend, von dem man im Winter träumt.
Willst du, fragt Anna, meinen Bruder und mit ihm das Kind zugrunde richten?
Die Wirtin schweigt. Sie betrachtet ihre auseinandergeklappten Füße.
Worauf sie wartet, will Anna wissen. Auf einen Einfall? Anna kenne viele, die einen großen Lebensplan entwarfen. Und dann im Entwurf steckengeblieben sind.
Die Wirtin klappt die Füße zu und auf und zu. Wasserläufer zucken über die Oberfläche, die feinen Abdrücke

ihrer Wasserskier zittern im Wasser nach. Das Bild der beiden Frauen ist nicht im Teich.
Anna springt auf, schüttelt die Schwägerin. Ihr Flammenkopf in einem Himmel aus Glanzpapier. Antworte, ruft sie. Sag etwas! Ich mache mir Sorgen um dich.
Ich höre zu, ja, ich habe alles gehört. Du stellst die Flasche vor mich hin, du willst, daß ich wähle: Arnold oder die Flasche. Nein, ich verschließe die Augen und Ohren nicht. Ich bin da, voll und ganz. Du machst dir keine Sorgen um mich, Anna. Ich gehe dich nichts an.
Anna fischt ein Blatt aus dem Teich, schüttet das Wasser ab und legt das Blatt auf ihren Handrücken.
Nur ein Blatt. Und kann uns soviel lehren. Ein Blatt hängt nicht sein Leben lang an den Ästen und saugt dem Baum alle Kraft aus den Wurzeln. Wird es welk, läßt es sich fallen.

Am Morgen zieht die Wirtin die Decke über die Ohren. Bei Anna fällt es mir noch schwerer, als früher, am Morgen aus dem Bett zu kommen, hineinzuschwanken in einen Tag, der ohne mein Zutun kommt und vergeht. Mit einem Glas in der Hand schlendert die Wirtin durch die Zimmer, übers Treppenhaus und in den Garten hinaus.
Und dafür hat Lucy nun vor dreieinhalb Millionen Jahren aufrecht gehen gelernt?
Am Kirschbaum lehnt eine Leiter. Die Kirschen leuchten durch die Blätter. Arnolds Schwester, hoch oben, von Zweigen halb verdeckt, pflückt, soweit die Arme reichen, Kirschen in den Korb an ihrer Hütte.
Komm herauf!

Sie weiß, daß Arnolds Frau sich nicht auf die Leiter wagt. Ich traue es mir nicht zu, das weiß sie doch. Ich trage die falschen Schuhe.
Anna pflückt ein Büschel Kirschen ab und wirft es dem Kind zu. Es hängt sich das Büschel über die Ohren.
Der Supermarkt sei bis zur Decke mit Schuhen gefüllt.
Bitte, sagt Anna oben in den Blättern, das ganze Lager nur für dich, damit du ein Vermögen in Schuhen anlegen kannst. Der Inhalt von Arnolds Tresor steht zu deiner Verfügung.
Wie könnte die Wirtin den Tresor öffnen. Einen Schlüssel zum Tresor besitzt der Wirt, den zweiten hat seine Schwester. Bitte ich um Geld, sagen die Geschwister, sie braucht Schuhe, das hundertste Paar.

Die Wirtin heftet sich nicht mehr an Anna. Sie folgt ihr nur mit den Augen.
Die Pflanzen sind gewachsen. Die Ritterspornglocken werden so groß, daß ich hineinschlüpfen und darin schlafen kann. In Annas Garten verschwinden, manchmal denke ich, dies wäre für alle das beste.
Fragt die Wirtin den Garten, sagt er, sie komme in ihm nicht vor. Die Zweige schlagen hinter ihr zusammen, schließen die Gasse, die sie mit den Armen bahnt.
Keine Fußspur bleibt in den Gräsern zurück.
Sie möchte ihren Namen in die Rinde des Baumes ritzen, damit wenigstens dieser eine Zeit stehen bleibt. Damit ein Bogen, eine Linie, ein Auf- und Abstrich von mir künden. Heute versteht sie diese Kritzeleien von Leuten, die keiner kennt. Sie ritzen ihren Namen in eine

Wand. Und ehe sie untertauchen in der Menge, versprayen sie einen Gedanken an die Fassade. So ungelenk und lächerlich er sein mag, er legt doch Zeugnis ab für einen Unbekannten.
Morgen wird alles anders, denkt sie. Ein Ruck, und los geht's, auf geht's. Münzen rasseln aus Spielautomaten vor meine Füße. Daniel Düsentriebs Erfinderlämpchen zündet. Einfälle ohne Ende. Kerzen auf dem Tisch und gebratene Tauben im Mund. Wonne, Liebe und bis daß der Tod uns scheidet.
Es liegt nur an ihr. Ob sie vernünftig wird. Ob sie alles zerstören will. Sich, Arnold, das Kind, den Löwen, die Familie, die Ehre, die Blutbuche. Alles, was den Geschwistern lieb und teuer ist.
Sie dreht sich um hundertachtzig Grad und marschiert in ihr Glück. Oder sie tritt ihr Glück mit Füßen und kehrt nie mehr in den Löwen zurück.

Ich soll gehen. Oder aber zu einer werden, die Anna gefällt. Eine, die in die Hände spuckt, eine wie Sunny Linsi. Von früh bis spät auf den Beinen, ein Lied auf den Lippen, mit dem Rüstmesser Funken schlagend, Augen hinten und vorn, immer da, wo es brennt. Im Handumdrehen steht das Gewünschte auf dem Tisch, à point und chambriert. Im Vorrat keine Lücken. Blecherne Auszeichnung um blecherne Auszeichnung wird unter den goldenen Löwen geschraubt. Im Löwen ist der Gast König. Eine Mauer wird ausgebrochen und angebaut, weil die Schwester errechnet, daß ein Grillroom sich nun verzinst. Denn nur darum hat der Australopithecus in Richtung homo sapiens immer mehr

Appetit auf Fleisch entwickelt, damit dieses Lokal vergrößert werden und an Arnolds Hals die Chaîne des Rôtisseurs pendeln kann.

Dieser Garten mit seinem wuchernden Leben, seinen Giftbeeren, Findlingen, dem Modergeruch, seinem Rauschen und Insektengeflimmer, dieses Paradies, in dem alles würgend zum Licht drängt und sich eine eigene Ordnung schafft, zieht die Wirtin an und stößt sie ab.
Sie flieht Anna.
Anna mit den Fragen. Anna mit den Aquamarinen.
Ob ich eine Ahnung habe, wer die Likörflaschen mit Wasser auffüllt?
Ob ich wissen möchte, wie mein Mann im Löwen zurechtkommt?
Ob Anna meinem Mann einen Gruß ausrichten soll?
Mit Gartenhandschuhen biegt Anna einen Strauch auseinander, streckt den geröteten Kopf hindurch, fragt und fragt. Schräg über die Wiese stapft Arnolds Frau fort. Mit jeder anderen wäre mein Mann besser versorgt, ja, Anna. Ich bin ihm keine Hilfe. Nein, Anna. Zur Sorge um den Betrieb kommt die Sorge um mich. Gewiß, Anna.

Anna holt mit dem Bauern die Kranke im Spital ab. Sie darf nach Hause. Am Nachmittag bettet Anna Frau Moser hinter dem Holunderstrauch in einen Sessel. Die Bäuerin mochte nicht zum Tisch mit dem bunten Wachstuch getragen werden, wo Spaziergänger sie sehen und sie mit ihrem Mann immer die Sonntage

verbrachte. Spitz und blaß sitzt sie in ihren Decken. Ihre Hände liegen auf den Lehnen, und ihr Kopf hängt vornüber.
Anna sagt, der Mensch verwuchert, verholzt, versteinert, ein anderes Ziel hat er nicht. Im Bemühen um eine Winzigkeit von Achtung verbraucht sich der Körper. Eines Tages ist er erschöpft. Hat zuviele Wünsche betäubt, und jetzt fehlt ihm Kraft für Widerstand.

Herr Lutz hat unrecht. Im Dorf wissen die Leute nicht mehr alles über alle. Der alte Bankverwalter, ja, der hat noch jeden gekannt. Er wußte auf Anhieb, für wieviel Arnolds Familie gutsteht. Der neue Schalterbeamte kennt nur einen Teil der Kunden. Arnolds Frau ist ihm fremd. Er befragt die EDV-Anlage. Anna, die Schwester, hat über Arnolds Konto Verfügungsgewalt. Von einer Vollmacht für die Ehefrau sagt die EDV-Anlage nichts. Der Schalterbeamte bedauert. Er gibt Arnolds Frau eine Erklärung, die der Ehegatte und Vollmachtgeber rechts unterzeichnen soll, die die Gattin und Bevollmächtigte links gegenzeichnen muß. Sind diese Formalitäten erledigt, kann Arnolds Frau Beträge vom Konto abheben bis zur Kreditlimite.
Die Wirtin geht am Haus von Herrn Lutz vorbei, schaut nicht rechts, nicht links, schaut auf das Pflaster vor ihren Füßen.
Langsam wandert die Wirtin die Kehren hinauf. Was gibt es auf der Kuppe, um dessentwillen ich meinen Schritt beschleunigen möchte? Das Kind weicht kaum von der Seite seiner Tante. Und man wird auf der Kuppe ein Mutter-Kind-Bild betrachten. Anna im Tür-

rahmen, das eine Knie leicht zur Seite gebeugt. Das Kind lehnt mit dem Rücken gegen ihre Beine, läßt den einen Arm über ihr Knie hängen. Anna legt ihre Hand auf seinen Kopf, einen hühnereigroßen Ring am Finger. Die andere Hand stützt sie auf die ausgestellte Hüfte. Sie trägt ein langes Satinkleid. Die Marabustola sackt im Rücken durch, schlängelt sich an den Ellbogen heraus und fällt zu beiden Seiten über die Hüften.
Es ist ein aus der *Vogue* geschnittenes Bild und wird lebendig. Mein Schatten fließt über den Satin. Er changiert ins Silber und Schiefer.

Herr Lutz, wiederholt Anna. Wer ist Herr Lutz? Sie kennt im Dorf keinen Lutz. Das müssen Zugezogene sein. Sie verkehrt nicht mit den Zugezogenen in der Siedlung. Die stellen Arnolds Frau sicher Fragen. Fragen über Fragen. Anna will nicht, daß Fremde von uns so viel wissen.

Die Stunden vergehen wie im Flug, schon gibt es Milchreis mit Zucker und Zimt, schon muß das Kind zu Bett, schon ist Annas Märchengeschichte zu Ende.

Es fahren selten Autos die Straße herauf, ein paar Verirrte biegen auf der Kuppe in den Feldweg, holpern hinter den Obstbäumen in die Zubringerstraße zur Autobahn. Für Lastwagen wäre der Feldweg zu schmal. Fährt einer die Windungen zur Kuppe hinauf, will er zum Haus.
Anna rennt aus einer Falte des Gebüschs und verhandelt mit dem Fahrer. Er steigt in seine Kabine und fährt nahe

am Zaun zurück, bis er die Höhe des Teichs erreicht. Ein Zittern geht durch den Lastwagen, der Hebekran, der über den Ladewagen ragt, beginnt sich aufzurichten. Die Stahlseile straffen sich, heben sich, ziehen ein Boot hoch, ein Ruderschiff, namenlos, das Holz ganz verwittert, den Bug breit nach oben geschwungen. Wimmernd dreht der Kran seine Last über den Zaun, senkt sie vor Annas dirigierenden Armen langsam ab und setzt sie auf den Rasen.
Anna stapft um das Boot herum, sucht die Ruder, rüttelt an den Bänken und läßt die Hand über die Holzwand gleiten. Dann nickt sie zur Lastwagenkabine hinauf und unterschreibt den Lieferschein. Der Laster wendet auf Mosers Hof.
Sofort setzt das Kind sich ins Schiff, läßt sich von der Tante die Ruder anbringen und zieht fort, auf einem grasgrünen Meer nach Amerika. Die Tante wird ihre Tulpen nicht in das Boot pflanzen können. Denn im Herbst ist das Boot immer noch fort und mit ihm das Kind.

Mittwoch ist Wirtesonntag. Arnold wird Frau und Kind an einem Wirtesonntag nach Hause holen.
Heute ist Mittwoch. Doch Arnold ruft nicht an. Und im Löwen geht niemand ans Telefon. Die Frau legt nach langem Klingeln den Hörer auf die Gabel.
Mit Blick zum Baumschwarz entkorkt sie eine Flasche. Trinkt auf die Zeit, da sie den Löwen in Schwung bringen wird. Da Arnold die Schwester nie mehr um Rat fragen wird. Füllt ein zweites Glas auf die Zukunft. Anna hat sich die Unterlagen für die Wirtefachprüfung

aus dem Zimmer der Schwägerin geholt. Du brauchst sie ja nicht. Anna will nur einen Blick hineinwerfen. Die Autoschlüssel liegen auf der Konsole. Die Wirtin könnte Annas Auto nehmen und in die Stadt fahren. Am besten nachts.
Sie versucht, sich aus dem Liegestuhl zu erheben, fällt zurück und setzt die Flasche an.
Ich, die Käferfrau auf dem Rücken. Und der Himmel ohne einen Halt, die Äste viel zu fern. Mit fünf Fingern kämmt sie ihr Haar übers Gesicht, starrt durch diesen Haarvorhang. Schwankt irgendwann in den Keller, entkorkt eine Flasche. Schwankt damit zum Teich und versucht mit zusammengestellten Füßen vor dem Kind gerade zu stehen.

Entweder – oder, sagt Anna.
Kein Einwand, sagt die Frau.

Die Erwartungen auf mir. Was haben Arnold und Anna und sogar mein Kind von mir erhofft?
Ich stehe in Annas Schuld. Habe mir nicht einmal das Thymiankraut in der Teetasse verdient. Ich stehe überhaupt in der Schuld der Geschwister. Wann wird man sich für verschwendete Tage nicht mehr rechtfertigen? Wann kann man überflüssig und nutzlos und trotzdem zufrieden sein?
Warum sind Sie kein Baum? fragt der Baum.
Ich bin die Krone der Schöpfung, sagt die Wirtin.
Ha, lacht der Baum und peitscht mit den Zweigen. Der Nützling Mensch ist in Wahrheit ein Schädling. Je nutzbringender, desto gefährlicher. Kennen Sie eine

einzige, für die Geschichte der Menschheit nützliche Entdeckung?
Das Feuer. Das Gefäß. Das Rad.
Der Baum läßt ein paar Blätter fallen, so sehr regt er sich auf. Mit dem Wissen, wie Feuer anzufachen ist, habe die Tragödie begonnen. Feuer bedeutete Macht. Es befähigte den Menschen, rauhe Zonen zu besiedeln und sich seßhaft zu machen. Gefäße erlaubten Vorräte. Wer Vorräte besaß, war reich und mächtig. Die Erfindung des Rades erlaubte den Transport von Besitz. Mit wachsendem Gehirnvolumen, meint der Baum, habe der Mensch sich Erfindung um Erfindung von den übrigen Geschöpfen abgelöst. Die Vertreibung aus dem Paradies sei ein langer, von Entdeckungen begleiteter Prozeß. Heute sei man soweit, mit Knopfdruck in einem einzigen Augenblick alles zu verlieren. Die Vertreibung aus dem Paradies hat sich damit erfüllt.
Denken wir an anderes. Schöneres. Prost! Schweigen wir eine Weile.
Das ist der Wunsch aller Machtlosen, sagt der Baum. Leise wischt er den Himmel aus.

Es fällt der Wirtin schwer, sich etwas zuzutrauen. Aus dem Wasser schaut ein geschliffenes Auge, ein Aquamarin. Der Teich hat den sattsam bekannten Blick.
In welche Richtung dreht man den Kopf? Zu den Ammonshörnern? Oder in Richtung von Sunny Linsis Mund, dem Viellächelnden, Vielversprechenden?
Sunny, die mehr ist als ein Ersatz.

Die Wirtin war nicht mehr jung, sie war kein Panther mehr. Dagegen Sunny Linsi. Mit glitzernden Brüsten in strammen Maschen. Der Herr könnte den Unterschied sehen, wenn er den Hut ein wenig aus der Stirn schöbe. Die Tanzenden singen, man hört sie nicht, die Musik ist zu laut. Ein Gast steckt sich Tips am Zahnstocher in den Mund. Einer schaut zu, wie ein Türke Schweizermünzen ins Computerspiel wirft, die abgeschossenen Weltraummännchen eins ums andere zur Seite kippen, eins ums andere an anderer Stelle auferstehen.
Und jemand, irgend jemand denkt sich das alles aus.

Was unternehmen wir jetzt? Trinken wir den letzten, lau gewordenen Schluck? Schweigen oder reden wir?
Dem Vorsitzenden fallen bei Rocky-Kids Musik tanzende Eingeborene ein. Schlanke junge Männer. Nur ihre Hüften bewegten sich, die Füße glitten, stampften und trippelten. Zwischen den erhobenen Armen drehten sie den Kopf zur Seite, sahen über die Schulter. Langsam ließen sie den einen Arm zur gespannten Hüfte sinken und wieder schulterkreisend zum Himmel schlängeln. Sie schnellten mit der Hüfte, sie bebten, sie schleuderten zornig den Kopf zurück.
Den Gästen um den Vorsitzenden fallen Reisen ein. Eine Landschaft vom Flugzeug aus. Vom Zug aus. Ein Wald wuchs aus grünem Wasser. Wir schwammen und tauchten durch die Zweige. Zahllose verschickte Ansichtskarten nach Monaten beim Adressaten eingetroffen. Zerfledderte Autokarten. Ein verstempelter Paß. Eine bestimmte Trattoria, der Weg dorthin auf einer Papierserviette aus dem Gedächtnis nachgezeich-

net. Der Vorsitzende besitzt Dutzende von Papierservietten mit Wegbeschreibungen von Bekannten. Ein Wort noch zur Unterkunft. Zimmer mit schönem und Zimmer mit häßlichem Ausblick. Trocknende Wäsche über verwinkelten Gassen. Zur Erinnerung an den Papstbesuch hatte der Händler einen Karren voll Gipsbüsten. Die Gattin wußte nicht, in welcher Größe sie ihren Papst wählen sollte und erstand nach langem Hin und Her die handtellergroße Gipsfigur, die der Händler aus dem Durcheinander der rosaroten Päpste hervorgezogen und zum Größenvergleich vor seine Brust gehalten hatte.
Es gäbe noch viel zu erzählen. Und was gedenkt die Regierung zu tun? Die Regierung klärt ab. Es sei peinlich, aber verzeihlich, unverständlich und eine Zumutung. Das die deutlichen Worte, soviel zur schriftlich begründeten Interpellation.
Ist nun die halbe Nacht um?
Muß die erste Katze bald dran glauben? Der erste Vogel an der Autobahn?
Der König, der Gast, tritt noch nicht auf die fahle Straße. Das teure, hydraulisch kippbare Bett muß warten. Heute kein Traum beim Sandmann bestellt. Er hockt verstört im leeren Zimmer vor dem leeren Bett. Er hat heute soviele Träume mit Namen Sunny Linsi zu verteilen.

Für die Dauer des Schlafs ist die Welt ausgelöscht.
Arnolds Frau hat den Eindruck, keinen Augenblick in dieser Nacht geschlafen zu haben. Ameisen wimmeln auf der Haut. Alles wallt zu einem Punkt in ihren

Kniekehlen, zwingt sie, die Beine zu strecken, zu biegen, zu grätschen und immer wieder eine neue Lage zu wählen. Sie reißt an der Lichtquaste und holt ein Buch. Es ist der Fotoband der berühmtesten Abnormitäten. Darin findet sie den Mann ohne Unterleib, von dem das Kind immer träumt.

Das Kind muß dieses Buch betrachtet haben. Vielleicht in den Tagen, da die Mutter nähte und das Kind unter dem Tisch aus den Stoffresten eine Hütte baute.

Die Abbildungen zeigen ein Kamelmädchen, einen Löwenmann, einen Vogelmenschen, eine Zwergin ohne Unterleib. Sie ist wie eine Nippfigur auf ein Nachtkästchen gesetzt.

Ein Blatt in dem Buch ist leer. Kleben Sie hier Ihr Bild ein.

Setzen Sie hier Ihren Namen ein.

Dieses Freak ist Arnolds Frau.

Von einem Schausteller entdeckt, wird sie bald zu einem der berühmtesten und bizarrsten Fälle unter den Show-Freaks, ein Gegenstand wissenschaftlicher Spekulationen. Sie singt, tanzt und spricht Englisch. Ihr Entdecker und Manager stellt sie in Europa und Amerika zur Schau. Es ist ungewiß, ob er sie heiratet. Gewiß ist, er schirmt sie von der Außenwelt ab, erhöht so den Effekt ihres Auftritts. Die Gräfin Prokesch schildert sie als ein warm empfindendes, denkendes, geistig sehr begabtes Wesen mit gefühlvollem Herzen. Der Entdekker wird reich, sein Freak wird schwanger. Stirbt mit dem Kind. Die Karriere als Schauobjekt ist mit dem Tod aber nicht zu Ende. Der Entdecker läßt das Freak und das Kind skalpieren und ausstopfen. Und kassiert.

In einem rotseidenen Flitterkleidchen steht sie da, ein Grinsen im Gesicht. Auf einer Stange das Kind wie ein Papagei. Dann gilt sie als verschollen. Taucht im Fundus von Schaustücken in einem Lagerhaus auf und wird nach Amerika verkauft.
Das Kind bewegt im Schlaf die Finger. Morgen, denkt die Wirtin, will ich ihm das Märchen von Dornröschen erzählen. Die Szene, da der Prinz es küßt, Dornröschen die Augen aufschlägt und die Rosenhecke entdeckt, schmücke ich aus.
Arnolds Frau löscht das Licht und geht auf Zehenspitzen, damit das Kind nicht erwacht, schreit, und die Tante ins Zimmer stürmt.

Ein Sommer, wie wir ihn lange nicht hatten. Barfuß kann das Kind die Asphaltstraße nicht betreten. Dem Gartenzaun entlang schreiten die Spaziergänger noch in der Kühle der Buche. Nicken, wenn sie die Frauen sehen.
Die eine ist Annas Schwägerin, die Wirtin des Löwen. Wie eine Schwindlerin, Anna, komme ich mir vor, wenn die Leute so grüßen und nicken und mir zulächeln. Die Buche, ja, die spielt in der Geschichte dieses Dorfes eine Rolle. Wird geschützt, vermessen, begutachtet. Ihre Wachstumsleistung erscheint in einem Bericht, über sie läßt sich ein Wort verlieren, an ihr kann man staunend hochsehen, über sie können die Leute sich freuen.

Immer an Sonntagen treten die Bewohner aus der Siedlung heraus. Die Kuppe ist für Familienauftritte eine großartige Bühne. Im grellen Licht nimmt ein jeder seinen Platz ein, vorne ein Kind, dahinter ein Vater mit Kleinkind auf der Schulter, die Mutter einen Schritt zurück, dann die Großmütter, Großväter, Tanten und Onkel. Alle sprechen sie am Zaun ihren Monolog. Die Familien-Vorführung wird für Alleinstehende wie Anna inszeniert, damit sie Arnold und Anton an Sonntagen nicht vergißt. Damit sie merkt, daß sie allein ist.

Kann ich anrufen? fragt sie.

Kann ich Antons Stimme hören, wenn mir danach zumute ist?

An Sonntagen ist Anton nicht erreichbar. Er ist da draußen irgendwo mit seiner Familie. Ausgerechnet an Sonntagen vermisse sie Anton sehr. An Werktagen hat sie ihre Arbeit, da merkt sie seine Abwesenheit weniger. Da ziehen auch nicht diese Familien langsam an ihrem Garten vorbei.

Der Gedanke, daß Anton am Sonntag übermütig ist und lacht. Und Anna ist nicht der Grund zu seiner Ausgelassenheit.

Sie greift in die Luft nach Halt.

Die Schwägerin macht sie auf diese Geste aufmerksam. Du hast die Art der Alleinstehenden, die Selbstgespräche führen oder merkwürdige Gebärden machen.

Sie tue das oft, sagt Anna, so in die Luft greifen. Und sie erschrecke über diese Geste. Sie frage sich, warum sie in Gedanken nie nach Anton greift.

Die aus dem Beutel kollernden Juwelen purzeln heute zu einem Schiff zusammen. Nur den Mittelmast muß

Anna mit einem Karneol verlängern. Nach der Lage der Steine prophezeit Anna eine Reise. Anton ruft demnächst an. Das kann schon morgen sein. Sie wird die Tasche unter dem Bett hervorreißen und ins Auto steigen. Ehe die Gemahlin die Reise platzen lassen kann, sind Anton und Anna unterwegs.
Anna muß immer die Gerissenere sein, die Beweglichere, die Zupackendere.
Du verkaufst dich unter deinem Wert.
Warum?
Sunny Linsi hat vielleicht auch eine Schwägerin, die so fragt. Und einen Bruder, der wünscht, diesem Herrn einmal zu begegnen, dem feinen Herrn. Aber Sunny Linsi, die keine Einmischungen duldet, überschreit den Bruder, schreit so laut sie kann.
Habe ich eine Wahl?
Kann ich einen Schalter drehen, aus, ein? Kann ich das?
Anna nimmt der Schwägerin den Vorschlaghammer aus den Händen und stapft hinunter zu den Beeten. Das Kind hüpft hinter ihr her. Sechs Schläge hallen von den Beeten herauf.

Anton kommt.
Anton geht.
Ein zerwühltes Bett, ein Strauß. Das ist es, was von seinem Besuch übrig bleibt.
Vertrocknete Sträuße hängen wie Fledermäuse am Balken über der Tür. Spät in der Nacht wäscht Anna Geschirr. Das Haus soll sein, als fände morgen ein Einzug statt.

Anna wird immer mehr graue Haare bemerken. Die Stimme wird brüchig, der Rücken rund.
Für eigene Kinder ist es schon eine Weile zu spät. Da bringt ihr der Bruder das seine.

Und von Sunny Linsi nur Gutes.
An einem schwülen Abend stemmt ein Gast sie auf die Theke und knabbert sich rasch an ihrem Bein zum Kleidschlitz hinauf. Sie stößt ihm den Fuß in die Brust. Hintermänner fangen den Gast auf. Mit roten Augen starrt dieser Gast zu ihr hinauf, ungläubig, getroffen von einem winzigen, goldenen Schuh.
Ehe er sich auf Sunny Linsi werfen kann, packt der Wirt ihn von hinten, biegt ihm einen Arm auf den Rücken und schiebt den Gast zur Tür hinaus.
Von Sunnys Nächten kein Wort.
Nichts über Augenblicke mit Arnold, in denen Sunny Linsi eine Weile die Wirtin vergessen kann.

Arnolds Frau steckt den Autoschlüssel der Schwägerin in die Tasche.
Sie wird fahren. Sie wird ankommen. Sie wird in einer Verfassung sein. Sie macht eine Feststellung. So manches kommt zur Sprache. Sie wird einen Auftritt haben, einen Abgang. Verschiedenes wird ihr klar geworden sein.
Man wird damit leben müssen, leben können. Hat keine andere Wahl. Aber sie wird Haltung bewahren. Wird bleich sein, doch gefaßt, und im Wegschreiten berührt sie kaum den Boden.
Alle werden sich wundern.

Das Tuckern des Traktors klingt vom Feld herauf. Das Kind fährt mit Moser zu den Kirschbäumen. Zuoberst auf einer Kiste läßt es sich über den Feldweg rütteln, greift mit den Zehen in die Kiste und hebt einige Kirschen am Stiel heraus. Sie schwingen zwischen seinen gekrümmten Zehen. Seine Finger, sein Mund sind blau.
Das Kind stromert herum, Arnold. Es errichtet Bauwerke aus Muscheln, Schneckenhäusern, Ammoniten, Pyritgestein und Kristallen. Hinter den Beerensträuchern hat es seinen eigenen Teich gegraben. Schleppte Gießkanne um Gießkanne. Dann siedelte es vom großen Teich Amphibien um.
Die Enten, Annas Enten, lassen auf sich warten.

Die Mutter soll allein in die Stadt zurück, das Kind will bleiben. Man soll ihm das Dreirad schicken.
So redet es. Und spuckt Kirschkerne an ihr vorbei. Und man wird zu Stein. Steht auf einer Säule im Gebüsch. Besucher des Gartens wachsen einem entgegen, halten sich einen Augenblick auf derselben Höhe auf, lassen im Vorübergehen rasch und verstohlen ihre Finger über die Figur gleiten. Dann knirscht der Kies unter ihren Schuhen leiser, ferner.
Diese Abschiede. Diese Berührungen. Sie nutzen den Stein ab. Er beginnt zu bröckeln. Es brauchte das Kind die Figur im Vorüberrennen nur anzutippen, und sie rieselte zusammen.

Die Wirtin liegt in der Badewanne. Das Wasser schwankt, bedeckt und entblößt die Brüste. Die

Schaumbläschen knistern und platzen. Sie schaut in die Rosentapete über sich. In diesem Haus sind überall Rosen aus Stoff und Papier. Gleich fallen sie aus den Vorhängen und der Tapete.
Sie begraben mich unter sich.
Es sei nicht Raffgier, es sei Dankbarkeit. Anna bringe die Blumen unter Dach, weil man doch einmal ihr Wachsen und Blühen erlebte und der Anblick dieser Blumen Freude gemacht hat. Mit Zureden, abgestandenem Gießwasser, Pferdemist bringt sie sie zum Blühen.
In unserer Familie haben alle einen starken Willen. Der Erfolg gibt uns recht. Die Nase an der Hundeschnauze reibend, sagt Anna, dich haben wir auch ins Leben zurückgeholt. Hast es doch verdient.

In einer Zeitschrift hat die Wirtin gelesen, daß mit Hilfe eines salzartigen, sandähnlichen Präparats den Blumen eine Art Dauerleben gegeben werden kann. Nicht die Feuchtigkeit sei es, die das Verwesen der Blumen bewirke, es sind die Fäulniskeime. Die Zusammensetzung des Präparats wurde dem Leser nicht verraten. Jedes Blütenblatt muß mit diesem Pulver bestreut werden. Nach zwei bis zwölf Tagen werden die Blumen luftig aufgehängt, bis auch die Stengel ihre Feuchtigkeit verloren haben. Nach fünfzehn Jahren wirken die Blumen noch immer frisch. Kein Unterschied zu Schnittblumen.
Blumenkonserven, Anna.
Unter einem Glassturz vor Staub geschützt.
Freaks. Sie halten sich über unsern Tod hinaus.

Arnolds Frau könnte an die Zeitschrift schreiben. Ich bitte Sie um das Rezept der Chemikalien. Ich habe eine Schwägerin, die möchte den Blumen die ursprüngliche Leuchtkraft erhalten. Möchte Rosen jeden Jahrgangs konservieren, denn es gilt, die Sträuße eines gewissen Besuchers frischzuhalten.
Die Wirtin schlingt Annas Bademantel um den nassen schaumigen Leib. Das Wasser rinnt an ihren Beinen hinab und tropft auf den Boden. Eine Fußspur zieht sich vom Bad zum Salon zur Haustür. Bei jedem Schritt fällt der Bademantel auseinander, und ein nacktes Bein spreizt sich vor.
Die Trinkerin, werden die Siedlungsleute sagen.
Frau Moser, obwohl todkrank, läßt sich angekleidet hinters Haus tragen.
Arnolds Frau müsse Anna keine Konservierungsrezepte verschaffen. Nichts wird verlangt.
Wenn Arnolds Frau nur weniger trinken würde.
Wenn sie keine Launen hätte.
Wenn sie vernünftig mit Geld umginge.
Hufe klappern über den gepflasterten Hof. In Reitkleidung die Lehrerin mit hohlem Rücken.
Die Wirtin birgt den Kopf in den flauschigen Armen. Sie spürt in der Tasche das Gewicht des Autoschlüssels. Er ist warm wie mein Leib.
Du siehst aus! sagt Anna. Bitte zieh dich an! Kämme dich! Wisch dir die Wimperntusche weg!
Was die Lehrerin von Arnolds Frau denken müsse.

Nie versuchen, deine Geliebte deiner Ehefrau gegenüberzustellen. So lautet Antons Ratschlag für Liebha-

ber. Die Frauen kämpfen oder verbünden sich, sagt er. Anton stellt seine Anna der Ehefrau niemals vor. Das ist Regel Nummer eins. Dann gibt es noch Regel Nummer zwei und Regel Nummer drei. Geliebte und Gattin müssen Gestalten im Nebel bleiben. Die eine spürt die Anwesenheit der andern, natürlich, aber sie erkennt kein Gesicht, nur den schattenhaften Umriß einer Gestalt. So findet sie für ihre Wut kein Ziel. Ein Feind ohne Gesicht ist ein halber Feind.
Erzählt Anton von Tränen, sieht Anna die Großaufnahme eines Auges. Wasser sammelt sich an den Rändern, zittert eine Weile und tropft dann vom Wimpernrand. Antons Frau weint Muranoglastränen. Glitzertropfen, wie sie an Annas Lüster hängen.
In Wirklichkeit könne Anna keinen Menschen leiden sehen. Begegnete sie der Ehefrau, der weinenden, sie würde Anton anfahren. Und Anton wäre ratlos. Plötzlich steht er zwei Feinden gegenüber.

In der Hitze die trockenen Geräusche, die trägen Bewegungen. Die eisige Bahn der Fliegen auf der Haut. Die Luft riecht nach Schlamm.
Deine Frau hat fieberglänzende Augen, Arnold. Sie hat rote Flecken auf den Wangen. Nie habe ich deine Frau so erregt gesehen.
Deine Frau hat und hat nicht.

Das Kind ist beinahe in den Teich gefallen. Es stimmt, ich stand dabei. Im Schilf fiel es vornüber, tauchte mit Kopf und Händen ins Wasser. Und ich, ich rührte mich nicht. Anna zog das Kind an der Jacke zurück.

Ich war abwesend, das ist wahr. In Gedanken irgendwo. Der Autoschlüssel lag in meiner Tasche.

Im Schatten der Buche klammert ein Spaziergänger sich an die Staketen und redet vom Wetter, vom Wuchs, von allem, wovon Spaziergänger immer reden an Annas Zaun. Unter der Blutbuche plaudern sie, lachen sie, schneidet Anna für den Spaziergänger einen Strauß. Winzige Gestalten unter dem mächtigen Baum.
Die Wirtin öffnet die Garage. Sie fährt in Annas Auto an den Redenden vorbei. Anna vergißt den Blumenstrauß zu überreichen. Die mit dem Blumenstrauß in die Luft gestreckte Hand wird eine Gebärde für die Ewigkeit.

Es ist Wirtesonntag. Unter dem Löwenschild ist das Geschlossen-Plakat aufgeklappt. Sie wird, denkt die Wirtin, das Haus über den Hintereingang betreten. Vielleicht sind Arnold und die Aushilfe auf einen Berg gefahren, vielleicht sind sie in der Wohnung, und man wird sich begegnen.
Es gilt zweidrei Worte zu sagen. Zweidrei Erklärungen anzuhören. Keine Tränen, keine Beschimpfungen, keine großen Gebärden.
Arnold wird von seiner Schwester gewarnt worden sein. Deine Frau, sie kommt, Arnold, sie war nicht zu halten.
Er hat Zeit, Spuren zu verwischen.

Es ist wie im Kino.

Sie steht vor versperrter Tür. Die Tür zum Schlafzimmer ist von innen verriegelt.
Die schreckgeweiteten Augen. Als Großaufnahme.
Die Hauptdarstellerin, wie sie sich faßt, wie sie sich auf dem Absatz dreht und fortmarschiert. Mit erhobenem Kopf aus dem Bild. Ein Mann stürzt aus der Tür, rennt der Frau nach. Beim Stadttor holt er sie ein. Er redet mit ihr. Und alles klärt sich.
Oder die Hauptdarstellerin, wie sie sich nicht faßt. Mit den Fäusten aufs Holz trommelt, besinnungslos. Plötzlich öffnet der Mann die Tür, die Frau fällt beinah ins Zimmer. Ruhig den Gürtel des Morgenrocks schlingend, steht er da, sagt kein Wort. Er betrachtet sie. Augen aus Stein. Und im Hintergrund die Nebenbuhlerin beim Einsammeln ihrer Wäsche. In den Seidenpantoffeln der Ehefrau schlurft sie ins Bad.

Ja, Anna, unser Auftritt war melodramatisch. Wir sind hysterisch. Nicht zu bremsen. Der Rat der Schwägerin für den Wind.
Ich hätte müssen. Den Ehemann im Ehebett müde machen.
Dann wäre gewesen. Für eine Geliebte nichts übrig.
Ich hätte sollen. Sehr ruhig. Sehr überlegen.
Dann hätte sich alles. Wie von selbst irgendwann.
Arnold habe die Faust seiner Frau in der Luft abgefangen. Sie sei an der Tür zu Boden geglitten. Hätte noch einmal mit der Faust in den Teppich geschlagen. Dann sei sie ruhig gewesen. Ganz ruhig.

Mein Kartenschicksal, Anna, hat sich erfüllt.

In derselben Sekunde sagen an tausend Orten zwei, sie hätten sich getäuscht. Die Erde öffnet sich nicht unter ihren Füßen. Kein Stern fällt vom Himmel. Die Ozeane rollen. Eisenbahnzüge verkehren. Flugpläne werden eingehalten.
Herzen brechen nicht.
Horch, wie die Vögel tirilieren.
Anna legt Arnolds Frau ihre Samtjacke um die Schultern.
Im Teich die Fische im Verborgenen. Auf der Kuppe das Haus hinter seinem metallisch glänzenden Blätterschild.
Wir lauschen dem Abendgesang der Amseln. Im grellen Himmel krümmen sich die Buchenäste. Wie sie sich für die Dauer einer Dämmerung spreizen und den Blick in ihre Richtung zwingen. Bis die Folie im Hintergrund verblaßt, und der Baum sich gegen nichts mehr spreizen kann, die Nacht seine kleine Geschichte löscht.

Die Wirtin verbringt jetzt Stunden damit, die Ornamente der Ruten zu betrachten, berichtet die Schwester dem Bruder.

Juwelen verschiebend, erzählt Anna. Hat nur heitere Erinnerungen. Die schöne Zeit in Brasilien. Die lustigen Streiche mit Arnold. Die orchideenreiche Antonzeit.
Die Wirtin hört zu.

Während die Juwelen sich zu Bildern formen, höre ich mir die schönsten Zeiten an. Dazu das Funkeln der Steine. Duft von Rosen. Das Klirren der Glasstäbe am Lüster.
Die Wirtin faßt die Samtdecke an zwei Enden und zieht sie mit einem Ruck vom Tisch. Die Juwelen kollern zu Boden, sprühen in alle Richtungen über den Teppich. Einige trommeln den Frauen auf die Füße.
Das ist dieser entsetzliche Abend mit der Schwägerin. Das ist dieser Abend mit Leuten, deren Leben sich aus Irrtümern, Mißerfolgen und Schreckensmomenten zusammensetzt. Dieser eine einzige Abend zum Erbrechen.
Die Wirtin läßt sich auf die Knie fallen.
Ich liege plötzlich auf meinen Knien und grabsche auf dem Teppich nach den Steinen, wie ein Hund krieche ich unter dem Tisch umher und sammle Annas Steine ein.

Der Rosenmund von Sunny Linsi mit frischem Glanz formt ein O. Die Wirtin kann es deutlich sehen. Mit geschlossenen Augen spricht der Wirt den Namen der Stadt Paris aus. Seine zitternden Lider, sein verzerrter Mund, als erlitte er dabei einen Schmerz.
Sunny Linsi hört nicht, was über die Stadt Paris sonst noch zu sagen ist.
Die Gäste stehen mit halber Drehung zu Rocky-Kid. Und wer drängt jetzt noch zur Tür herein?
Die späten Gäste sind dem Wirt die liebsten. Die fangen beim Champagner an.
Wo die Wirtin sich aufhält, weiß niemand.

Die Gäste sind in den spiegelnden Scheibenquadraten enthalten. Ihr Schatten bewegt sich von Quadrat zu Quadrat. Einer geht, einer kommt und nimmt den Platz des andern ein. Alle sind in Bewegung, ein jeder sucht sich einen andern Platz. Und wenn das neue Scheibenquadrat endlich das richtige zu sein scheint, rutscht das Spiegelbild aus dem Rahmen.
Sunny Linsi setzt die Arbeit der Wirtin fort. Die Wirtin liegt unter einer Buche im Garten der Schwägerin. Das Haus widerhallt vom Gelächter des Kindes. Es und seine Tante sind nicht zu trennen.
Dieser Jubel in seiner Stimme, wenn es der Tante seinen Tag erzählt.

Anna reißt die vertrockneten Sträuße vom Balken. Es soll nie wieder ein Strauß von Anton an der Decke welken. Sie mag nicht mehr mit dem Kind in Zimmern spielen, in denen vertrocknete Blumen hängen.
Das frische Lachen des Kindes.
Dagegen die zerrieselnden Blüten, diese Erinnerungen, die mit den Rispen auf den Teppich fallen.

Der Baum lockt mich, sagt die Wirtin.
Ich soll am Stamm verharren, versteinern. Der Baum läßt seine Blätter fallen, senkt seine Zweige auf meinen Leib, und Efeu wächst mich zu. Hundert Jahre muß ich schlafen. Die Ordnung ist wiederhergestellt. Der Nachmittag gelöscht. Die Fahrt in die Stadt hat nie stattgefunden.
Die Wirtin lacht, als wäre sie plötzlich verrückt vor Glück.

Das Kind läßt seinen Traktor über die Terrassen hinunter zu den Beeten holpern. Heute spielt es Bauer. Bestellt sein Feld, fährt zwischen den Tomaten auf und ab.
Bald wird Anna das Kind reiten lehren. Wie sein Vater und Großvater wird es später über diese Felder und durch diese Wälder reiten.
Die Tante zieht die Hände auseinander, soviel muß das Kind noch wachsen.
Sie stellen sich unter den Baum, schauen in die Blätter über sich. Das Kind wird so groß und stark. Und soviel Augen wie der Baum Blätter hat, werden einmal auf es blicken. Das Kind dreht sich um sich selbst, um all die vielen Augen zu sehen.
Abends singt es mit dünner Stimme ein Lied, das es von seiner Tante lernte. Dann schläft es ein, und Anna löscht das Licht.
Es ist jetzt immer die Tante, die das Kind zu Bett bringt. Die Mutter sitzt im Wetterleuchten des Fernsehers. Dickgepolsterte Spieler schneiden Ballons von einem Seil, rennen über eine schiefe Ebene, auf dem Kopf die Platte voll Ballons. Die Schweiz hat den Joker gezogen. Aber die deutschen Spieler zwirbeln rascher mit den Füßen auf dem seifigen Grund.
Die Schweiz mit dummem Gesicht.
Ein Kriegsschauplatz wird vorgeführt. Saubere Arbeit. Kein Haus, kein Baum. Kameraschwenk auf verlumpte, ungeordnet herumliegende Leichen. Kameraschwenk zum Tierleben in der Arktis. Und ein Blick auf die Mode aus Rom. Ein Blick in den Topf des Spargelkochs. In vier Tagesschauen auf vier Sendeketten die-

selbe Sequenz des abstürzenden Düsenjägers. Das kennen wir längst. Aber jetzt eine Rückschau auf den Karneval in Rio. Die Sambarasseln, die kreisenden Haselnußbäuche, die strahlendweißen Gebisse. Es regnet, wir werden nicht naß. Die Welt kommt zu uns. Hingelümmelt in einen Stuhl, Pantoffeln an den Füßen erwarten wir sie. Die Queen persönlich. Der Vierergipfel schließt uns in seine Runde und steht Rede und Antwort. Die Wissenschafter erläutern. Der Präsident gibt uns eine Erklärung ab, blickt uns in die Augen und lächelt uns zu. Zu unsern Füßen weint ein Sieger. So schön sahen wir eine Überflutung noch nie. Dieser einzigartige Überblick, dieser Blick in Abgründe, diese herrliche Weitsicht. Und alles frisch, keine Trickaufnahmen, nichts ist gestellt. Jetzt wissen wir Bescheid. Anna bedient die Fernschaltung.
Warum sie abgeschaltet habe, fragt die Wirtin.
Weil das ihr Fernseher sei, sagt Anna. Und weil wir bald schlafen. Anna streift einen Gummiring über das Einmachglas. Cellophan knistert.
Ich bin nicht müde. Die Wirtin läßt ihre Beine über die Sessellehne hängen. Ihre Zehen spielen mit der Vorhangkordel.
Doch, wir sind müde und gehen zu Bett.

Der schwierige Charakter von Arnolds Frau.
Der Bruder habe es mit ihr nie leicht gehabt. Es gebe Beispiele. Heute wieder ein Beweis. Anna hätte einen Topf Wasser aufgesetzt. Noch bevor das Wasser einmal aufgewallt war, sei von Arnolds Frau der Topf von der Kochplatte genommen worden. Und ehe Anna zum

Herd eilen konnte, hätte Arnolds Frau dieses ungekochte Wasser zum Aufgießen der Teeblätter benutzt.
Die Wirtin schweigt. Sie steckt die Hand unters Polster. Anna stellt das Einmachglas hart aufs Regal zu den andern Einmachgläsern. Alle sind mit kunstvoll beschriebenen Etiketten beklebt. Wird ein Topf weggenommen, müssen die andern auseinanderrücken, damit keine Lücke entsteht. Anna hat an ihrer Wand Einmachgläser, wie andere Leute Bilder.

Tage an denen Anton nicht anruft, sind für Anna schlechte Tage. Antons Ehefrau hat es nicht gern, wenn er an seinem freien Tag telefoniert. Sie hat es nicht gern, wenn er geht und sie allein herumsitzen muß. Sie hat es nicht gern, wenn sie am Morgen aufwacht, und er ist nicht da.
Anton muß mit seiner Frau auf der Seepromenade spazieren. Muß sich zeigen mit ihr. Anton am Marmorarm seiner Frau grüßt Bekannte. Sie sehen ihm nicht an, daß er bei Anna sein möchte, der einzigen Frau, die er liebt. Anton und seine Bekannten setzen sich auf weißgelackte Gartenstühle, essen Pâtisserie, lachen, und die Bekannten ahnen nichts von Anna. Daß sie Antons Frau ist, die andere ist Gattin nur auf einem Dokument. Er verschweigt die Wahrheit. Er verdirbt den Plaudernden den Nachmittag nicht. Zu Anna kann Anton offen reden. Was in den Ferien am Strand vor seiner Gattin hergehe, was mit Champagner und Lachsbrötchen herumstehe, sei nichts als eine Hülle von ihm. In Gedanken ist Anton bei Anna.

Das Kind fährt aus dem Schlaf, weint. Anna stürzt ins Zimmer, trägt das Kind summend durch die Wohnung, gibt ihm Milch und legt es in ihr eigenes breites Bett unter dem Baldachin.
Damit die Wirtin schlafen kann.
Damit du endlich schlafen kannst.

Sie steht jetzt auf. Geht jetzt durch den dunklen Flur. Stellt sich auf die Straße und wartet auf zwei Autolichter.
Mitten auf der Fahrbahn stehe ich, Arnolds Frau, im Scheinwerferkegel, werfe die Arme hoch wie Annas Puppe.

Die Zeit steht still. In der Löwenbar hängen drei Uhren an drei Wänden. Alle machen dieselben unglaublichen Zeitsprünge. Die Wirtin liegt wach und wartet.
Der stille frühe Tag.
Niemand dreht den Wasserhahn auf, läßt die Garagentür gegen die Decke knallen und klappert mit Töpfen. Die Wärme dringt durch die geschlossenen Fensterläden. Der Sonnenstrich wandert über die Decke zur Wand und bis zu den Silberrahmen der Totenbilder hinab. Staub glimmt in den Sonnenröhren. Das Summen aus dem Autobahngraben wird stärker. Bald brausen Annas Mieter, einer hinter dem andern, zur Siedlung hinab. Anna stößt den Fensterladen auf und atmet tief die warme Luft ein.
Wie geht es uns heute, an diesem sonnigen Morgen?
Sie bereitet Frühstück, das Kind plaudert, die Hunde rennen in den Garten und schnüffeln an den Büschen.

Uns geht es gut. Ein Tag, um mit den Vögeln zu jubilieren. Da wird das Herz weit. Der Kopf platzt, aber das Herz wird weit.

Ein Segelflugzeug rutscht ins Bild. Es schwebt in diese Landschaft ein. Lautlos wischt es dahin, läßt sich an der Kuppe im Aufwind emportragen, kreist über der Zakkenlinie des Waldes höher und höher in den dunstblauen Himmel, bis Sonne auf die Fenster trifft und die Einmannkabine platzen läßt.
Während Anna mit Frühstücksgeschirr klappert, das Kind den Löffel auf die Tischplatte schlägt, verläßt die Wirtin das Haus.

Über dem Supermarkt zerren die Fahnen an den Drähten, der Morgen hat schon das Tuch getrocknet. Der Fahnenstoff schlägt die Karabinerhaken gegen die Masten. Vor dem automatischen Tor sammeln sich Leute. Der Supermarkt ist noch geschlossen. Sie gehen auf und ab, sie wiegen sich und schlenkern die Taschen. Das Neonlicht schießt ein. Die Wirtin wird von der Menge vorwärtsgeschoben. Die Fußspitzen der vordersten Kunden berühren die Glastür. Drei gleichgekleidete Frauen stehen vor der Wirtin. Drei gleiche Strohhüte sind zum Berühren nah.
Im Innern des Supermarktes taucht ein Mann auf, stellt sich hinter der geschlossenen Tür ans Glas. Er schaut über die Leute hinweg, die mit einem Finger auf das Zifferblatt der Armbanduhr klopfen. Seine Uhr geht nicht vor.
Öffnen, schreit da die Wirtin.

Die drei Strohhüte drehen sich um, geben den Blick frei auf drei Hälse mit gleichen Perlenschnüren, drei Knotenzipfel, die drei gleiche Kleider auf der Schulter zusammenhalten. Drei Schwestern lachen die Wirtin an. Drei Wagenräder nicken.
Pünktlich steckt der Mann hinter dem Glas den Schlüssel ein. Die Türflügel schweben auseinander. Die Menge dringt ein und ergießt sich in die Ladenstraßen. Die Wirtin wandert den Schaufenstern nach, die ausgestellten Neuheiten und Delikatessen sind für Augenblicke im Glas von ihrer Gestalt unterlegt. Lebendfrisch eingeflogene Hummer krabbeln durch den Umriß der Wirtin.

Einmal in seinem Leben möchte Arnold etwas Exotisches einfliegen lassen. Eine Hure, so schön, daß ihn alle Leute anstarren. Er will sich mit ihr zeigen, an ihrem Arm im Städtchen auf und ab spazieren, essen mit ihr, schlafen mit ihr.
Das wird teuer, sagt zu ihm diese Frau.
Sie nennt einen Preis. Er nickt. Er mag die Vorstellung, daß man in ein Bordell geht wie in einen Laden, den Typ wählt und bezahlt. Die Frau spaziert an Arnolds Arm auf und ab. Sie ißt mit ihm. Sie schläft mit ihm. Am Morgen überreicht er ihr das Rückflugticket. Sie setzt sich ins Taxi, schaut geradeaus und fährt fort.
Das Verhältnis zu Sunny Linsi muß eine Erfindung sein. Es sei unvorstellbar, sagt Anna, daß ihr Bruder sich ernsthaft in diese Person verliebt habe. Eine Barmaid. Ihr Bruder, der doch das Besondere liebe.

Arnold mag die Aushilfe, natürlich. Sunny Linsi trinkt nicht. Sunny Linsi ist tüchtig. Sie weiß mit Gästen umzugehen. In finanzieller Hinsicht ist die Person ein Gewinn. Aber niemals wird der Bruder sich von einer mißglückten Beziehung in die nächste stürzen. So dumm ist er nicht. In Annas Familie krabbelt keiner aus einem Loch, um ins nächste zu stürzen.
Im Fall einer Scheidung würde er sich nicht wieder binden. Warum auch? Seine Schwester wäre für ihn da. Der Bruder kann tun und lassen, was er will, sie sorgt für ihn und das Kind.
Nie soll ihres Bruders Kind eine Stiefmutter haben.

Die Lautsprecher sagen eine Vorstellung des Entfesselungskünstlers an. Das Publikum strömt zur Absperrung. Der Mann steht breitbeinig auf einem Podest. Er trägt einen Lederschurz, einen Gürtel aus getriebenen Metallplatten und Sandalen, die bis zu den Knien geschnürt sind. Auf den geölten Muskeln glänzen verschiedenfarbene Lichter auf.
Der Entfesselungskünstler verschränkt die Arme und schaut über die Köpfe der Menge hinweg. Lederne Kraftbänder umspannen seine Gelenke. Vor seinen Füßen liegt die Kette. Der Entfesselungskünstler faßt mit einer Hand ins Kettengeschlinge und stemmt es über den Kopf. Er hüpft eine halbe Drehung, greift ein baumelndes Kettenglied, der Rest rasselt zu Boden. Er zerrt an den Gliedern, beißt darauf herum, und hepp, hüpft er eine Drehung und windet sich die Kette wie einen Strang Wolle um die Arme. Seine gewölbten Brustmuskeln zucken. Er reicht die Kette hinunter ins

Publikum. Der Hausfrau zieht es die Arme zu Boden. Die Kette prasselt nieder. Ein alter Mann versucht, sie aufzuheben. Sie ist ihm zu schwer. So zieht der Alte das Ende der Kette aus dem Haufen, folgt mit seinem Finger dem Metall.
Keine Lötstellen? fragt der Entfesselungskünstler. Keine Brüche? Der Alte verneint und reicht das Kettenende aufs Podest hinauf.
Der Entfesselungskünstler bittet jemand aus dem Publikum, ihn zu fesseln. Wer hat Mut?
Die drei Schwestern hüpfen aufs Podest, fassen gemeinsam den Strang und rennen damit um den öligen Mann. Er kann mit den festgezurrten Fingern am Leib noch immer winken. Die Schwestern strecken sich, bücken sich, steigen eine der andern über die Füße. Kreuz und quer schlingen sie die Kette und ziehen sie zwischen seinen Beinen durch. In seinem Kettenkorsett kann der Mann sich nicht mehr bewegen. Die Schwestern lächeln und steigen vom Podest.
Er beginnt sich zu winden. Die Adern an seinem Hals schwellen an. Er beißt die Zähne zusammen, die Kette lockert sich und rutscht über die eine Schulter. Ächzend verbiegt der Entfesselungskünstler seinen Leib. Die Schlingen sinken über seine Hüften und prasseln zu Boden. Mit erhobenen Armen, lachend, steigt er aus der Kette.

Auf der Rolltreppe sich entfernend, hört die Wirtin das Klatschen für einen, der aus seinen Ketten steigen kann. Das Klatschen verwandelt sich in ein Rauschen. Das Publikum macht den Regen nach. Die Schaufensterpup-

pen recken ihre Gesichter ins Operettenlicht, doch es regnet. Kein Wind, der die Kugelbäumchen aus Plastik durchpeitscht, nur das Geräusch des Regens.
Zwischen den Ladenregalen fließen Rinnsale zusammen, spülen Papierbecher, Styroporhüllen und Stanniolfetzen mit sich fort. Die abgestellten Einkaufstüten kippen und rutschen ein Stück im Rinnsal mit. Das Wasser tritt über die aufblasbaren Planschbecken, die Gummiboote in der Sportabteilung lösen sich und schaukeln auf die Ladenstraße hinaus. Die Kunden krempeln die Hosen auf, raffen die Röcke. Die drei Schwestern schöpfen mit den Hüten Wasser. Die Verkäuferinnen auf Surfbrettern kurven um Regale, auf denen in Abständen Keramikvögel lauern. Eine Plüschkatze hockt am Ausgang. Bakelitfische und aufziehbare Mäuse schwimmen in ihr Maul.
Watend zieht die Wirtin ihre Plastiktasche durchs Wasser. Was sie kaufte, wird aufgeweicht. Sie muß alles wegwerfen. Mit leeren Händen kommt sie nach Hause. Anna und ihr Mann, sie haben beide nie etwas anderes erwartet. Nie. Haben gehofft, daß die Frau ine Einsicht hat. Daß sie erkennt: Unsere Wege trennen sich.
Der Regen rinnt aus Haarschwänzen über ihr Gesicht. Die Flut wird Arnolds Frau fortschwemmen aus dem Operettenlicht. Das wäre eine Lösung. Die beste von allen. Die sauberste. Die billigste. Die unauffälligste.

Eine Kosmetikerin klopft mit dem Zeigefinger auf ihre Vorzeigetiegel. Sie verspricht bei Verwendung der vorgeführten Pflegelinie in vierzehn Tagen ein neues Aus-

sehen. Machen Sie mehr aus Ihrem Typ!
Die Wirtin tritt näher. Sie will mehr machen aus ihrem Typ, will ein neuer Typ werden. Jetzt gleich. Sofort.
Die Kosmetikerin winkt die Wirtin zur Liege. Das Haar wird eingebunden, Lampen werden aufs Gesicht gerichtet, und ein Kasten mit Töpfen, Tuben, Pinseln und Stiften in allen Farben wird herangerollt. Die Kosmetikerin setzt sich ans Kopfende.
Mit ihrer Arbeit wolle sie keine ganz andere schaffen. Das liege nicht in ihrer Absicht. Die Kunst bestehe vielmehr darin, die Persönlichkeit der jeweiligen Kundin zu unterstreichen. Jede hat andere markante Punkte.
Sie haben Augen.
Sie läßt ihre Finger übers Gesicht rollen und klopfen und die Salbe in die Haut zwirbeln. Es duftet nach Kräutern. Instrumente klappern, Deckel werden geschraubt, Flüssigkeiten geschüttelt und Wattebäusche abgerissen. Mit geschlossenen Augen liegt die Wirtin da.
Beim Zupfen der Augenbrauen kommen ihr Tränen. Sie rinnen über die Schläfen.
Die Kosmetikerin pinselt auf ihre Haut ein Gemälde. Madame wird sich nicht wiedererkennen.

Es ist ein fremdes Gesicht, das aus dem Spiegel schaut. Die Haut ist aus Biskuit-Porzellan. Wangen und Lippen blaßorange. Es gibt nur Augen.
Mit dem Kopfverband gleicht die Wirtin der Puppe im Treppenhaus der Schwägerin. Die Puppe, ja, schaut aus dem Spiegel.

Sie betrachtet mich. Sie schließt und öffnet die borstigen Wimpern. Sie dreht den Kopf und bewegt die Augen zur Seite. Die matten Lippen versuchen ein Lächeln.
Und Arnolds Frau gilt als vermißt. Auf dem muschelgesäumten Weg von der Kuppe zur Blutbuche zum Teich, zwischen diesen drei Punkten muß sie verloren gegangen sein. Verschwunden im Bermuda-Dreieck von Annas Garten.
Die Geschwister haben die Suche aufgegeben, wird im Löwen erzählt. Das Buschwerk werde immer dichter. Der Zaun wachse zu, und das Tor roste ein. Die Wirtin mußte aufgegeben werden, sagen sie.
Die Kosmetikerin wickelt den Kopfverband ab. Das Haar fällt der Puppe ins Gesicht.
So sollte Arnold mich sehen. Als lebensgroße Spielzeugpuppe. Am Ende der Rolltreppe erwartet er mich. Rüttelnd fahre ich vom Sous-sol zur Decke hinauf. Auf jedem Stockwerk mache ich eine halbe Drehung zur nächsten Rolltreppe und fahre hinauf zu den dicken Kreppsohlen, den ausgebuchteten Schuhkappen, die auf dem letzten Stockwerk am Ende der Treppe stehen. Die Mechanik bringt mich Arnold näher. Er zieht meine Hand durch seine Armbeuge.
Wie schön du bist! Und so jung!
Ich schließe und öffne die Augen. Ich tripple neben ihm her zur Möbelabteilung. Er kleidet mich aus und legt mich aufs Musterbett. Er sagt, ich will dir eine kleine Freude machen, und legt sich auf mich.
Ich wimmere, ich öffne und schließe und öffne die Augen. Arnold hat mir eine Freude gemacht. Nach all

den Jahren vernimmt Arnold zum ersten Mal ein Wimmern. Er legt seine Hand auf meinen Mund. Ich soll nicht so schreien. Ich nicke. Ich verspreche, nie mehr zu schreien.

Hinter der Wirtin das Schnurren der Elektronik während des Zusammenzählens aller Anwendungen und Arbeit am Gesicht. Ein Preis wird genannt. Die Puppe fällt aus dem Spiegel.
In der Abteilung für Modeschmuck kauft die Wirtin zwei gläserne Blüten und befestigt sie an den Ohren. Sie kauft ein Paar Gummistiefel für Annas Garten. Sie probiert Hüte. Seit zwei Jahren hat sie dieselbe Frisur. Sie setzt sich in einen Frisiersalon, schnippt mit zwei Fingern um ihren Kopf. Die Angestellte nickt.
Mit glattrasiertem Kopf kommt die Wirtin aus dem Frisiersalon. Ein Haarbüschel ist stehengeblieben. Mitten auf dem Schädel ringelt es sich zu einer Korkenzieherlocke und wippt beim Gehen gegen die Stirn.

Die Einkaufenden mit Drahtwagen. Sie sehen nur Ware. Für Menschen sind sie blind. Aber eine Schaufensterpuppe, die ihr Handgelenk zur Seite klinken kann, die Arme bewegt, die Augen, die Füße, die plötzlich ihre Haltung ändert und den Platz verläßt, die zieht ihre Blicke auf sich. Die Einkaufenden bleiben stehen. Das ist ein Trick, den sie noch nicht kennen. Mit diesem Trick bietet der Supermarkt etwas Neues. Gespannt beobachten sie die aus ihrer Erstarrung gelöste Modepuppe. Der Arm ruckelt an der Puppenfrau.

Sie machen ihr Platz, lassen sie dicht an sich vorbei zum Imbiß-Restaurant trippeln. Die Puppe benimmt sich wie ein Mensch. Mit übergeschlagenen Beinen sitzt sie auf einem Barstuhl, bestellt und nippt an einem Glas.
Die Einkaufenden warten auf den Stillstand der Mechanik. Der Entfesselungskünstler lädt die Puppe zu einem Drink ein. Vielleicht ist auch er ein Roboter, und die Muskeln sind aus kunststoffbespanntem Metall. Technisch ist heute alles machbar.
Der Trick mit der Puppe beginnt zu langweilen. Die Einkaufenden zerren die Kinder vom Eingang des Imbiß-Restaurants und schieben die Drahtwagen weiter.

Ich bin echt, sagt die Wirtin zum Entfesselungskünstler. Verzeihen Sie, darf ich Ihren Arm berühren?
Der Entfesselungskünstler stützt den Ellbogen auf die Theke und ballt die Faust. Die Wirtin kann die Muskeln mit zwei aneinandergelegten Händen nicht umspannen.
Er gleicht David im Garten der Schwägerin, der Figur aus Stein. Er spricht und trinkt mit mir, und seine Finger berühren wie unabsichtlich meine Schulter.
Sie habe der Vorführung zugesehen. Wie er das mache, sich aus Ketten befreien. Wie schafft man das?
Der Entfesselungskünstler macht eine undeutliche Geste. Die Schwingtür fliegt auf und zu, Kellnerinnen mit einem Tablett auf den Fingerspitzen rennen ein und aus. Die Gäste sitzen in Logen entlang der Wand. Sie führen Löffel und Tassen zum Mund, legen Löffel und

Tassen zurück und vereisen. Die Kugellampen über ihnen sind wie von Rauhreif überkrustet.
Der Entfesselungskünstler sagt, die Wirtin sei ihm unter dem Publikum nicht aufgefallen.
Sie ist niemals aufgefallen. Aber jetzt der Puppenkopf. Während der Vorstellung hatte sie ein anderes Aussehen. Sie hatte einen Mund und Haare und fettglänzende Haut. Die Kosmetikerin habe ihr Augen gegeben.
Der Entfesselungskünstler schnippt nach der Kellnerin.
Jeder, sagt er, hat ein Gesicht, in das er manchmal die Faust schmettern möchte, um aus dem Brei etwas Neues zu formen.
Und er lasse sich nicht jeden Tag in Ketten legen. Der Entfesselungskünstler lächelt durchs erhobene Glas. Sie trinken auf sein Wohl und auf ihr Wohl und auf daß wir immer wieder aus Ketten steigen.

Als die Wirtin vom Barstuhl klettert, stellt der Boden sich auf. Die Logen rasen rundum. Sie hängt sich beim Entfesselungskünstler ein, faßt die Tür ins Auge und trippelt aufrecht an seiner Seite hinaus. Sie treten auf den Parkplatz.
Die Autos brennen. Sie legt ihre Hand auf die Augen.
Der Mann führt sie durchs Feuer. Er lockert den Arm.
Sie sackt auf einen Autositz.
Die fortrollende Straße führt in einen Wald.
Ich bin keine Frau, sagt sie. Ich bin eine Puppe.
Er knöpft ihre Bluse auf. Sie sind eine Frau, versichert der Entfesselungskünstler.
Ich weiß nicht, was Liebe ist, sagt sie.

Der Entfesselungskünstler berührt sie. Er sagt, Sie schauern unter meiner Hand zusammen, also leben Sie. Also begehren Sie mich.
Sie öffnet die Tür und läßt sich aus dem Auto fallen.
Gegen Abend erreicht sie das Haus auf der Kuppe. Sie hinkt. Sie hat die Schuhe an einem Finger über die Schulter gehängt. Anna steht da. Auf der Treppe ihres Hauses.
Die Abendsonne rötet den Schädel von Arnolds Frau, verkupfert die Korkenzieherlocke.
Mama, schreit das Kind und rennt an die Schenkel seiner Tante. Die legt ihre Hand auf seinen Kopf. Aquamarine durchbohren Arnolds Frau.
Aber ich, ich bin unter dem Schrei meines Kindes schon weggestorben.

Anna ruft den Bruder an. Deine Frau gibt sich keine Mühe, Arnold. Überhaupt keine Mühe. Sie teilt ihm mit, daß sie das Wirtepatent machen wird. Jetzt möchte ich deine Augen sehen. Ob er sich freut? Mit dem Wirtepatent sei sie ihm eine größere Hilfe denn je.
Was auch immer aus deiner Ehe wird, Arnold!
Sie hält den Hörer der Schwägerin hin. Die lehnt die Stirn ans Fenster und starrt in den Garten. Die Hunde verjagen eine Katze. Sie hangelt sich am Maschengitter hinauf und satzt fort. Bellend rennen die Hunde am Zaun entlang. Kein Loch läßt sie aus dem Garten entwischen.
Die Wirtin kann sich denken, was ihr Mann sagen würde. Unsere Anna! Hast du gehört? Das Wirtepatent.

Die vernünftigen Vorschläge unserer Anna. Ihr scharfer Verstand. Ihre Umsicht. Ihre Klugheit. Wenn ich das höre! Niemand ist unvernünftiger als Anna, die sich die Haut aufschlitzen ließe, könnte sie sich dann wie ein Futteral um ihren Bruder legen.
Und nur eine Unvernünftige wartet Jahre auf einen Verheirateten, der niemals kommen wird. Nicht einmal ein Vogel polstert sein Nest aus, ohne danach ein Ei zu legen.

Der Himmel ist niedrig. Das Blau fällt der Wirtin auf den Kopf. Arnold muß von mir befreit werden. Ich bekomme einen andern Namen, werde wieder unter dem alten Namen geführt. Dem Kind wird mein Mädchenname fremd sein. Es trägt Arnolds und Annas Name.
Mit dreißig Jahren wünscht sich die Wirtin eine unheilbare Krankheit. Diese Krankheit führt rasch zum Tod. Die Bäuerin ist sechzig. Noch dreißig Jahre. Die Wirtin hat gerade die Hälfte hinter sich.
Und mir fehlt der Schwung für einen einzigen neuen Tag. Sechzig Jahre geschafft haben, heißt, in sechzig Jahren nie aufgegeben haben. Eine fast unvorstellbare Leistung. Manchmal muß doch auch der Bäuerin jeder weitere Tag sinnlos erschienen sein.
Bruder und Schwester, die beiden, ja, die schaffen es. Und ihre Blutbuche bricht den Rekord. Die Äste drükken die Fenster ein, wachsen durch die Zimmer, die Bäuche der Bewohner und aus den Fenstern an der Rückfront hinaus. Reißen das Haus aus seinem Fundament und heben es in den Himmel.

Die Wirtin erbricht das Essen.
Heute gelingt es ihr nicht einmal, Annas Essen zu behalten.

Die Stille.
In diesem Haus sind alle unter Rosen und Spitzen erstickt.
Die langen Nächte.
Das Kinderbett steht jetzt in Annas Zimmer. Die nächsten Nächte wird Anna es sein, die sich darüber beugt und das Flattern der Wimpern im Schlaf bemerkt. Mit über der Brust gekreuzten Händen liegt Anna unter ihrem Baldachin, atmet den Milchgeruch des Kindes und lauscht auf sein leises Atmen, das Heben und Senken der Daunendecke.
Die endlosen Stunden.
Und Licht im Fenster der sterbenden Frau Moser. Wie beunruhigend ein einzelnes erleuchtetes Fenster sein kann. Und man weiß dort einen, der stirbt, und einen, der am Bett des Sterbenden wacht, der auf den nächsten, den übernächsten Atemzug lauscht. Der Sterbende klammert sich an seine Hand. Der Griff ist hart. Die ganze Kraft des Körpers liegt in dieser wächsernen Hand, als vermöchte der Wachende den Sterbenden zurückzuhalten.
Er, der leben wird, ihn, der stirbt.
Diese Erwartung, die den Wachenden am Sterbebett überfordert, ist vielleicht das Schlimmste.
Die Krankheit habe die Bäuerin verändert, berichtet Anna. Sie müsse immer die langen spitzen Ohren der Frau Moser betrachten. Anna schäme sich deswegen.

Der Wind hat gedreht. Man kann das Sausen von der Autobahn her deutlicher hören. Der Garten wird Regen bekommen. Die Tante verspricht dem weinenden Kind, daß morgen die Enten kommen. Morgen oder übermorgen ist sicher das kleine Entenhaus besetzt.

Heute ist Antons erster Ferientag, ein Anruf unmöglich, undenkbar. Und Anna ruft trotzdem an. Sie stellt Anton die Frage, die sie längst stellen wollte.
Anna fürchtet plötzlich die Antwort nicht.
Ihre Hand liegt auf dem Kopf des Kindes. Und sie stellt die Frage.
Er rufe zurück, sagt Anton und hängt ein.
Anna wählt die Nummer zum zweiten Mal, stellt zum zweiten Mal die Frage.
Ich oder deine Frau.
Verläßt du sie? Oder machen wir beide Schluß?
Was er antworten soll, fragt Anton. Was möchtest du hören? Sie wüßte ohnehin alles. Daß er nichts lieber als. Aber daß. Wenigstens im Moment. Kurze Zeit noch. Abwarten. Verständnis haben. Nicht von einem Tag auf den andern. Kein Unmensch sein. Der Gattin viel zu verdanken haben. Sie das nicht verdient. Nicht zu vergessen die Kinder, das Geschäft, die Kosten. Sorgfältig vorgehen, behutsam. Lösen nach und nach. Inzwischen nur du.
Ein Knacken in der Leitung. Die Gattin hat den Hörer des Zweitanschlusses abgehoben. Sie sind jetzt zu dritt. Anna bleibt ruhig. Sie wühlt im Haar des Kindes und hält den Hörer weit weg. Antons Frau schreit. Nennt

Anna eine Hure. Sie hätte es ihrem Mann leicht gemacht. Was sie sich in diese Ehe dränge. Warum gerade ihr Anton? Sie wären immer glücklich gewesen, das ideale Paar, ein Vorbild für Bekannte. Und jetzt das. Wegen einer Person.
Die Gattin weint. Schnupft. Wie hat sie das nach dreiundzwanzig Jahren verdient.
Sie kann ihn haben, schreit sie. Ja, jetzt will sie ihn nicht mehr. Einen wie Anton, für den sie alles getan hat, der ihr soviel antun kann, der sie zum Dank jetzt umbringt.
Anton schweigt.
Anna weiß genug. Hat das alles irgendwie schon immer gewußt. Sie legt den Hörer auf die Gabel. Das Gesicht schmiegt sie ins Haar des Kindes und bleibt reglos neben dem Telefon stehen.

Der Teich ist totenstill, so still.
Drinnen im Teich, dem blinden, da müßte man leicht sein, sänke in die Algen, langsam und mit um die Glieder wallendem Stoff.
Hassen müßte man. Gegeneinander antreten. Ohne einen Feind zum Erschlagen, hat das Sammeln von Kräften keinen Sinn.

Anna und das Kind im erleuchteten Haus.
Durch die Scheibe kann die Wirtin die beiden sehen, blätternd im Märchenbuch. Das Kind will nicht mit Puppen spielen. Es will eine Ente. Es hat die Puppe ein einziges Mal aus ihrem Puppenwagen gehoben, wurde ihrer überdrüssig und ließ sie in einer Windung des

Kiesweges liegen. Die Puppe dient nicht mehr als Spielzeug. Sie macht sich gut zwischen Topfpflanzen, trotz der halb zugeklappten Augen. Sie reckt die Arme in die Efeuranke und lächelt.

Das Kind hebt den Vorhang und schaut lange in den Garten, wo der Regen durch die Blutbuche schlägt.
Es hat die Hände in Schulterhöhe an die Rahmen gelegt.
Der Baum spiegelt sich im Glas, wischt mit seinen Blättern über die verschwommene Figur.
Was denkt das Kind, wenn es, die Stirn an die Scheibe gedrückt, reglos in den Regen schaut?

Du schleichst herum, sagt Anna zu Arnolds Frau. Warum bist du niedergeschlagen? Du, die man doch tun läßt, was sie will. Die man verwöhnt. Die alles haben könnte. Der alles in den Schoß gefallen ist.
Jeder habe einen Schatten. Jeder habe Verpaßtes.
Anna, ja, sie könnte niedergeschlagen sein. Sie hätte Grund. Trotz aller Mühe gelinge ihr nichts.
Anton sei wie Schall und Rauch.
Und Arnold vergißt anzurufen.
Und du, sieh dich an!
Anna habe alles versucht. Wollte Arnold eine strahlende Frau zurückgeben.
Was sie für ihre Schwägerin noch tun könne? Der Bruder hat seine Frau zu spät gebracht. Nur ein Schnitt kann jetzt. Ein harter, sauberer. Und rasch.

Heute gehen wir früh zu Bett. Wir trinken einen Baldriantee. Schlafen. Und morgen sieht alles anders aus.

Morgen erkennen wir Farben. Der Salon ist rosa, der Garten ist grün.

Beim Kreuzworträtsellösen vergißt Anna zu atmen. Sie kritzelt Buchstaben in die Felder und hält dabei den Atem an. Nach einer Weile stößt sie den Atem durch die Zähne. Die Wirtin kann sich nicht mehr auf die Sendung im Fernsehen konzentrieren. Sie lauscht auf das Prusten. Danach ist sie erleichtert. Bis Anna wieder den Atem anhält, wieder prustend ausschnauft.
Einmal würge ich ihr den Atem ab. Und man findet Anna, mit ihrem eigenen Spitzentischtuch erdrosselt.
Ich aber werde meinem Leben eine andere Richtung geben. Wer weiß, vielleicht steht eine Modeboutique am Weg. Diese sucht eine Verkäuferin mit Nähkenntnissen. An der Autobahneinfahrt setze ich mich aufs Grasbord, winke mit dem Daumen bis einer hält und mich in seinen Laster klettern heißt. Die Richtung spielt keine Rolle. Nur daß wir fahren, daß wir uns entfernen, daß wir unterwegs sind zu einem neuen Ort.
Ich bin noch jung. Ich kann noch hoffen. Einmal noch werde ich lieben bis zum Nichts-mehr-hören, Nichts-mehr-sehen.
Die Wirtin kichert in ihr Nachthemd, bis Anna sie aufstehen heißt und in ihr Zimmer führt.

Es ist am frühen Morgen so kühl, daß der Kot raucht, den eine Amsel auf die Sandsteinplatte setzt. Der Regen dieser Nacht hat die lockere Erde fortgeschwemmt und die Kiesel gewaschen. Die Beete sind von Steinen übersät. Mosers Sennenhund zottelt mit den Milchkannen am Zaun entlang zur Molkerei. Im Haus auf der Kuppe ist schon Rücken und Türenschlagen und Gepäckschleifen zu hören.

Es macht der Wirtin jeden Tag mehr Mühe, die Füße aus dem Bett zu schwingen.
Anna singt und räumt Schränke aus. Ein Container steht auf dem Garagenplatz. Bis unters Kinn mit Sperrmüll beladen, tastet sich Anna Stufe um Stufe durchs schmale Treppenhaus, windet sich auf jedem Absatz schief am gedrechselten Geländer vorbei. Ein wankender Berg aus Schachteln, Säcken, Stöcken und Töpfen.
Das Kind hüpft dem Berg voran.
Die Wirtin geht auf den Estrich. Sie findet die Hutglocke und setzt sie auf den rasierten Kopf.
Bunt sind schon die Wä-älder, gelb die Stoppelfe-elder, der He-erbst beginnt, singt Anna, spannt einen seidenen Sonnenschirm auf, schaut durch die Mottenlöcher und schmettert den Schirm aus der Estrichluke. Der Container ist mit Hausrat halb gefüllt.
Ist eine Beziehung zu Ende, muß man ausräumen und sich neu einrichten. Anna schüttelt Buchzeichen aus den Büchern. Fotos, Postkarten, Notizzettel fallen heraus. Mit jedem geleerten Schrank scheint Anna mehr aufzuleben. Sie zeigt der Schwägerin Schulhefte von Arnold. Seine Kinderschrift. Seine Flüchtigkeitsfehler. Die Kleckse. Und im Vergleich die Hefte seiner Schwester. Die Sauberkeit, die umrankten Titel, die Zeichnungen. Sie hat die besseren Noten.

Anna wird nicht müde. Sie legt alle Tablare mit neuem Schrankpapier aus.
Mit einem Mal sehe sie klar. Da glaubt man, nur von einem Anton-Besuch zum andern zu leben. Hält dies für das Wichtigste, für das Leben überhaupt. Aber in Wahrheit war Anton eine Episode, wie andere auch. Jeder Mensch, dem man begegnet, gehört zu einem Abschnitt deines Lebens. Er ist die Staffage, die du zu deinem Wohlbefinden brauchst. Aber Anton war es nicht, um dessentwillen sie das Haus gestrichen, tapeziert, mit Teppichen belegt und mit Möbeln gefüllt hat. Im Grunde habe Anna die ganze Zeit auf jemand anderen gewartet. Sie habe den nächsten Abschnitt vorbereitet, ohne sich dessen bewußt zu sein. Nein, für einen, der kommt und geht und, wie man immer ahnt, nie bleiben wird, hat man den Garten nicht in ein Paradies verwandelt, Mist gekarrt, Gräben ausgehoben, geerntet, gedörrt, sterilisiert und eingefroren.
Weißt du jetzt, für wen du das alles getan hast?
Anna nickt, holt aus einer Truhe Kinderstiefel, stellt sie zur Seite. Das Kind wird die Stiefel brauchen, fürs Paradies.

Über der Nähmaschine hängt eine Spinnwebe. Die Wirtin hebt sie ab und trägt die wehende Spinnwebe in den Garten hinaus. Sie möchte durch den Garten irren, Tag und Nacht. Sie trägt Annas Schuhe. Sie lacht wie Anna.
Sie sagt zum Kind, wenn nicht gearbeitet wird, fliegen keine Späne. Sagt, zehn Jahre wirten, bedeutet, zwanzig Jahre gelebt zu haben.

Sie liest Annas Bücher.
Liest von einem, der mit Hilfe von Flügeln aus seiner Gefangenschaft fliegt. Die Flügel sind mit Wachs zusammengeklebt. Und Ikaros fliegt der Sonne entgegen. Die Flügel beginnen in der Wärme zu schmelzen. Ikaros stürzt ins Meer.
Wieviele haben im Lauf der Jahrhunderte Flügel gebastelt, sich in die Luft geschwungen und sind zu Boden gestürzt.
Sie erzählt die Geschichte dem Kind. Der Schluß gefällt ihm nicht. Nein, entscheidet es. Ikaros ist nicht ertrunken. Er ist eine Ente geworden. Er sucht unseren Teich. Morgen oder übermorgen wird er ihn finden.

Annas Mißtrauen, sobald ich lache mit dem Kind. Als hätten wir Heimlichkeiten. Als geschähe hinter ihrem Rücken etwas, das mich froh macht, glücklich, gesund. Und sie kann den Anlaß nicht ergründen. Und keiner weiß, wohin diese Genesung führt. Aus diesem Garten hinaus, zurück in den Löwen, oder zu noch bedeutenderen Unternehmungen. Und Arnold, der Bruder, rennt womöglich der Schwägerin hinterher, hört auf seine Frau, statt auf die Schwester.

Anna muß sich bücken, um unter der Hutglocke die Augen der Schwägerin zu finden. Mit gereckten Fingern sitzt sie unter dem Baum und bläst in die Spinnwebfäden.

Das Telefon klingelt, die Kinderstimme ist bis in den Garten zu hören. Arnold wird anrufen. Er schaut zum

Stadttor und redet mit seinem Kind dort in der Landschaft.
Es schlafe jetzt bei seiner Tante, kräht das Kind. Während es auf die Antwort lauscht, berührt seine Zungenspitze die Nase.
Wir haben umgeräumt, schreit es.
Es sei notwendig gewesen, wird Anna versichern. Seine Frau wandere nachts durch Haus und Garten, das Kind werde durch ihre Ruhelosigkeit gestört. Und wenn es dann weine, sei niemand da.
Jetzt ist immer jemand für das Kind da, Arnold. Vielleicht zum ersten Mal in seinem Leben.

Verschwitzt, verstaubt, erschöpft sitzt Anna an diesem Abend auf dem Rand ihrer Badewanne, Wasser läuft ein.
Der Bruder muß sich entscheiden.
Ja, Anna, er muß sich entscheiden.
Schaum quillt über den Wannenrand. Ein Duft nach Rosen.
Dem Bruder fällt es gewiß nicht leicht.
Sicher, Anna. Es belastet ihn. Und wird ihn noch lange, aber es läßt sich nun einmal nicht ändern, er muß Härte zeigen, ich verstehe das, Anna, schweren Herzens muß er.

Anna badet lange.
Das Telefon läßt sie klingeln. Sie wird nie mehr rennen und den Hörer ans Ohr reißen.
Später schreibt sie Anton einen Brief. Sie verlangt den Hausschlüssel zurück. Im schwarzen Nachthemd, das

er ihr schenkte, schreibt sie ihm diesen letzten Brief. Ihre Haut unter dem durchscheinenden Hemd ist aus Asche.
Das Haar ist gewaschen. Sie trägt es gescheitelt.
In ihrem Gesicht ein Leuchten, denkt die Wirtin, wie ich es an Anna nie gesehen habe.

Wäre Arnolds Frau ein Baum mit Wurzeln bis unters Haus, unzählbar vielen Blättern und einem Stamm, dem Efeu nichts anhaben kann, die Geschwister könnten sie nicht vertreiben.
Wer will dich vertreiben?
Anna mit ihrem Lachen, dem wunderbaren Sorgenweglachen.
Möchte Anna, daß es mir besser geht?
Das war immer ihr Wunsch.
Würde es mir besser gehen, kehrte ich in den Löwen zurück.
Arnold würde dich vielleicht zurücknehmen.
Ich würde das Kind mit nach Hause nehmen.
Das würdest du.
Ich machte das Wirtepatent, Anna, nicht du.
Es gelänge dir vielleicht.
Ich würde die Buchhaltung führen, Entscheidungen treffen. Und Arnold brauchte von dir keinen Rat.
Annas Lächeln. Annas mildes Gesicht. Sie legt der Schwägerin die Hand auf die Hand.
Du, sagt die Wirtin, wandertest nachts wieder bei Vollmond durch den Garten. Du legtest Karten für dich. Und in den Brockenhäusern und auf Flohmärkten die Jagd nach Trouvailles. Bis auf den spitzenbedeckten

Möbeln alle Stellflächen ausgefüllt sind, du nur noch kletternd den rosaroten Salon durchqueren kannst. Bis schließlich die Schränke und Sekretäre aufplatzen und der Inhalt sich über die Sitzmöbel ergießt. Die Hunde, die zusammengedrängt auf dem Sofa schlafen, werden unter deinem Sammelgut begraben.
Anna schüttelt den Kopf. Die Erfindungen der Schwägerin. Ihre unheilvolle Phantasie.
Du würdest wieder vor leeren Stühlen essen, mit der Erinnerung an eine Kinderstimme im Haus. Würdest immer denken, wie nah du daran warst, dem Kind die Mutter zu ersetzen, dem Bruder die Wirtin. Ihr seid fast schon eine Familie gewesen.
Du wärst wieder, wo du vorher gewesen bist, Anna, schlimmer, du hättest den Geliebten um einer ungewissen Zukunft willen verloren. Hast alles auf eine Karte gesetzt und verspielt.
Ja, sagt Anna.
Sie steht auf, nimmt Arnolds Frau die Hutglocke vom Kopf und reicht ihr die Teetasse.
Arnolds Frau trinkt in kleinen Schlückchen den heißen Tee.

Arnolds neues Spielzeug heißt Sunny Linsi.
Neben ihrer Kaffemaschine sitzt ein Herr mit Hut. Sein Gesicht vom Filz halb verdeckt. Der Vorsitzende der Friedenskommission trinkt sich ins Elend. Das Handballwunder von Gemert hat in Begleitung der Liladame das Lokal verlassen.

Keiner fragt nach der Wirtin. Wer durch den Vorhang geht, ist vergessen, ehe die Stoffbahnen zusammenfallen.
Wie Sunny Linsi hart an ihrem Busen vorbei in einer verzitterten Senkrechten den Shaker auf und niederschüttelt, dazu herausfordernd die Brust vorreckt.
Sonst gibt's im Löwen nichts zu vermerken.
Die längeren Tage, ja, die wären erwähnenswert. Im Garten unter den Lampenschnüren bleiben die Gäste lange sitzen. Ihr Murmeln ist durch die Oleanderbüsche zu hören, vielstimmiges Auflachen, spitze Frauenschreie, Gesang. Einer nur kennt die Worte des Lieds. Den Refrain können sie alle, in den Refrain stimmen alle ein.
Die Bar ist dank Sunny Linsi besetzt. Keiner erhebt sich vom Barstuhl. Jeder hat einen Platz zu verlieren, eine Aussicht, den Überblick. Wir haben alle irgend etwas zu verlieren, meint der Vorsitzende.
Wir machen vielleicht alles falsch. Wir müßten einen Schritt wagen. Nicht einmal Flüge zur Venus sind ein Problem, nicht einmal der Stoffwechsel im Weltraum oder die Produktion von Neugeborenen mit bestimmten genetischen Eigenschaften. Keine Aufgabe, die die jüngste Computergeneration nicht lösen könnte. Aber sich im Löwen von der Theke losreißen und den Heimweg unter die Füße und auf den Lippen ein Lied, um Kehrrichtsäcke herum, stramm an den Steinlöwen vorbei aus der Stadt.
Der Vorsitzende versucht, Sunny Linsi seine Geschichte zu erzählen. Dieses ganze traurige Leben von Anfang bis Ende. Er schreit, sie versteht ihn nicht.

Rocky-Kids Musik und die Betrunkenen sind ziemlich laut.
Schrecklich, sagt sie, grauenvoll.
Glücklicherweise ist eine Bardame nicht dazu verdammt, alle diese fremden Geschichten nachzuempfinden. Alle diese Leben von Anfang bis Ende.
Es gibt Oasen, zu denen nichts Störendes dringt. Zum Beispiel der Garten einer Blumenfrau. Wie des Wirts Schwester einen hat.

Arnolds Frau läßt nachts ihre Hülle im Garten. Der Himmel ist aus Mondmilch. Neben den Muscheln und Schneckenhäusern liegt die Hülle von Arnolds Frau um einen Farnbusch gerollt. Ein Bein angezogen, die Fäuste vor dem Gesicht, bildet sie eine neue Wegmarkierung. Sie schimmert. Sie ist fast ungebraucht.
Geschont, viel zu viel geschont.
Das eine Bein ragt in den Kiesweg hinein.
Ein Hindernis auf Annas Mondspaziergang.
Anna tippt mit der Fußspitze die bläulich leuchtende Wade an. Das Bein rührt sich nicht, und so faßt Anna es am Knöchel und wirft es hinter die Begrenzung zurück.

Im Dämmerlicht unter der dichten Blattkuppe mag das Kind nicht spielen. Es will den Himmel sehen, darf das Heranschwirren des Entenpaars nicht verpassen. Ikaros mit seiner Entenfrau.
Schon vor dem Frühstück rennt es zum Weiher und guckt ins Entenhaus.
Wie mir das Kind in seiner Neugier gleicht, sagt Anna.

Die Kleider des Kindes riechen nach Stall. So oft es kann, witscht es aus dem Garten, schaut Moser beim Melken zu, rennt dann neben dem Sennenhund zur Molkerei und hilft, die Milchkannen vom Karren laden. Die Tante beobachtet lächelnd das Kind, wenn es neben dem Bauern über den Acker stiefelt und die keimende Saat begutachtet.

Heute vergißt Anna, ihre Schmucksteine zu einem Bild zu fügen.
Frau Moser ist gestorben. Der Fensterladen ihres Zimmers ist geschlossen. Es regnet den ganzen Tag.
Die Gemeindeschwester wusch die Leiche und zog ihr ein gestärktes weißes Hemd an.
Wie winzig die Tote ist. Ihr Sarg beinah ein Kindersarg. Sie ist in Plastik gewickelt. Unter dem zugezerrten Plastik, der sich in Falten um ihre Nase spannt, sammelte sich Augenwasser, rann aus der Höhle des Lids zum Ohr. Eine dünne Glanzspur auf der wächsernen Haut.
Gegen Abend wurde die Tote abgeholt und ins Leichenhaus gebracht.
Anna starrt auf die verregnete Fensterscheibe. Tropfenbahnen sind auf dem Glas.
Wir in diesem Haus, wie in einer Arche.
Anna denkt an Frau Moser oder an Anton oder an ihre Mutter. Wie die Menschen, einer um den anderen, entschwinden. Die Zeit, die man zusammen verbrachte, die kurze Weile.

Sich in Anna hineindenken.

Sich an besonderen Abenden ein Glas Jack Daniels gönnen. Die Augen schließen, den Geschmack kosten. Vorgeschmack auf eine andere Welt. Und man selbst ist bloß bis nach Brasilien gekommen, man spaziert jeden Tag an vertrockneten Muscheln und Fossilien vorbei und prostet den leeren Stühlen, dem steinernen David zu.
Und hat Wärme im Bauch.
Eine solche Wärme.
Sie breitet sich aus. Man hat unter Antons Spitzenwäsche eine pulsende Haut.
Sich vorbeugen zum Goldrahmenspiegel.
Auf Zehenspitzen in Antons Ziernahtstrümpfen sich um den Lüster drehen, das Glas in der Hand. Der Bruder spielt nicht für mich auf dem alten Klavier. Und wo ist das Kind, das sich gebärdet, als begleite es auf einer Gitarre?
Tanzen. Auf Zehenspitzen. Mit um die Hüfte wippenden Strumpfhalterrüschen. Vornüber fallen. Übers Glas. Über die Ziernahtstrümpfe. Der sterbende Schwan.
Durch Annas Haus gehen, von Zimmer zu Zimmer. Ihre Federboa umlegen. Ihr Satinkleid anziehen. Regenlicht fällt auf den changierenden Stoff. Alle Türen öffnen und ins Freie treten.

Anna ruft Arnold an. Er muß zur Beerdigung erscheinen. Die Geschwister bestellen beim Gärtner einen Kranz mit frischen Blumen.
Arnold überläßt alles ihr. Sie soll im Namen der Geschwister handeln, wie sie es für gut findet.

Anna hält der Schwägerin den Hörer hin. Sie schüttelt den Kopf.
Was könnten mein Mann und ich uns noch sagen?
Daß ich im Garten seiner Schwester in eine Muschel kriechen und hundert Jahre schlafen will?
Deine Frau läßt es Morgen werden, Abend werden. Sie rennt in meinem Nachthemd im Regen herum. Ich finde sie zwischen Büschen, völlig durchnäßt. Unter der Hutglocke rinnt ihr der Regen vom rasierten Kopf. Man möchte sie schütteln, schlagen, endlich einen Schrei hören, einen Wutausbruch erleben, wie früher manchmal. Willenlos läßt sie sich abfrottieren und zum Sessel führen. Unter der Wolldecke kauernd, trinkt sie meinen Tee.

Das Kind bringt seiner Mutter den Flügel eines Vogels. An den feinen Knorpeln klebt vertrocknetes Blut. Das Kind hat zwischen den Halmen den Vogel gesucht. Es fand nur diesen einen Flügel. Ein paar erdverkrustete, geknickte Federchen sind alles, was von einem Flug in die Sonne, einem Lied übrig blieb.

Die Welt ist nie ein Paradies gewesen, Kind.
Die Tante trägt das Kind zum Apfelbaum und schwingt seine Schaukel. Es gleitet durch Sonnen- und Schattenfelder, lacht wieder, schreit wieder, will, daß sich die Schaukel überschlägt. Die Tante soll kräftig stoßen. Ein einziges Mal um diesen Ast herum.
Man sollte das Lachen seines Kindes auf Tonband aufnehmen. Jederzeit wäre das Lachen zu hören. Man könnte sich in diesem Garten nicht verlieren. Ich rich-

tete mich nach dem Schall der Jubelstimme und fände blind zum Haus zurück. Oder ich würde das Tonband einschalten und zu diesem Lachen durch die hohen Gräser waten. Immerzu fortwaten durch diese Feuchtigkeit und Wärme. Die Halme schleifen um meinen Leib, ich gehe immer tiefer in die Wiese hinein, bis über den ausgestreckten Fingerspitzen sich die Gräser schließen.
Und bis zum Schluß könnte ich das Kind lachen hören.

Anna kocht jetzt für vier. Sie bringt eine Mahlzeit Bauer Moser.
Damit er auch wirklich ißt.
Damit er ihr nicht zusammenbreche.

Noch werden die Tage länger. Der Winter ist fern. Anna sagt, es muß schlimm stehen um den, der schon jetzt an die Nebelzeit denkt.
Sie scheucht die Hunde vom Plüschsofa. Nichts erledigt sich von selbst. Von nichts kommt nichts.
Sie fischt das Nachthemd mit den Batistblümchen aus dem Wäschekorb. Bügelt es für Arnolds Frau. Sie darf das Hemd behalten. Aus der Antonzeit habe sie viele schöne Hemden.
Anna nennt Sunny Linsi «Arnolds kleine Verliebtheit». Nach ihr werde es weitere kleine Verliebtheiten geben. Ihr Bruder solle das Junggesellenleben genießen. Nach den Eheketten muß er spüren, was Freiheit heißt.
Anna faltet das Hemd und lächelt.
Der Gedanke an den Bruder und sein Kind. Und die

Mutter unter einer Hutglocke verschollen. Ein frauenloser Geschäftshaushalt bedarf der Hilfe. Anna ist die nächste Verwandte. Zufällig frei, zufällig angemeldet fürs Wirtepatent.
Es ist denkbar, sagt Anna, daß sie ihr Haus vermietet und fortzieht. Beispielsweise könnte sie eine Weile in den Löwen ziehen. Alles ist denkbar. Sie ist nicht mehr jung, aber doch auch noch nicht zu alt. Sie könnte dem Kind Muttersatz bieten und im Löwen zum Rechten schauen.
Ob das nicht die beste aller Lösungen sei? Die schmerzloseste?

Arnolds Frau kann trinken und vergessen. Annas Keller war, seit sie den Salon in ein Nähzimmer verwandelte, nie mehr verschlossen. Im Löwen mußte die Wirtin sich Musterflaschen beschaffen. Nur ihr Mann und der Küchenbursche besaßen zum Keller einen Schlüssel. Es war zu ihrem Besten.
In der gerollten Zeitung trägt Arnolds Frau eine Flasche ins Dämmerlicht der Buche. Spürt den Widerstand der Flasche unter dem Arm.
Irgendwie ein Halt neben diesem Familienbaum.

Die Tage schwimmen fort. Ich glaube, ich bin aus der Zeit gefallen.
Die Wirtin könnte unentwegt Annas Schuhe betrachten, die erdverkrusteten Gummistiefel. Wie Anna darin geht. So in Schuhe gewachsen, müßte auch die Wirtin sich wohlfühlen, könnte immerfort schreiten, immer mit festem Schritt.

Anna bringt eine Schale Beeren, bringt ein Kissen, eine Sonnenbrille.
Du verwöhnst mich, du umrankst mich mit Rosen. Und kein Prinz küßt mich wach.

Schon zum dritten Mal in einer Woche fährt Anna mit dem Kind zum Supermarkt. Es gilt, viele leere Flaschen zur Sammelstelle zu fahren. Das Kind will am Container hochgehoben werden und die Flaschen ins Einwurfloch für braunes, grünes oder weißes Glas schmettern. Jubelt, wenn die eingeworfene Flasche am Glasberg zerschellt.
Noch bereiten die Flaschen, die du leerst, dem Kind Freude. Eine Weile noch, und es wird sich jeder Flasche schämen. Es wird sie in der Dunkelheit zur Sammelstelle bringen. Das Scherbeln im Container wird das Kind bis in seine Träume verfolgen.
Anna soll schweigen.
Wie warm es nach diesem Regen wieder ist. Nie war ein Juni sonniger, nie begann ein Sommer so schön. Haben je so viele Vögel im Baum genistet?
All diese Jahre habe ich keine Krähen gesehen, und jetzt kommen sie in Schwärmen.
Ich treibe die Katze über den Zaun zurück, Anna, damit im Teich sich Enten niederlassen.
Das Kind wartet.

Die Flasche Jack Daniels ist leer. Deine Frau, Arnold, muß sie hinter dem Wäschestapel gefunden haben. Hat die Flasche an einem Nachmittag geleert.
Und wie Anna die Schwägerin aufgefunden hat!

Sie hockte auf dem Boden, mitten unter dem Lüster. Ein Haufen Blümchenbatist, über dem eine Hutglocke schwankte.
Dieser Anblick für das Kind!
Anna mußte der Schwägerin unter die Arme greifen und sie hochziehen. Mußte ihr eine Brühe kochen, helfen, den Löffel zum Mund zu führen. Arnolds Frau war bis obenhin voll Jack Daniels, konnte nicht schlucken, den Mund nicht schließen. Speichel und Suppe tropften aus ihrem Mundwinkel auf das Hemd. Wo die Blümchen feucht wurden, färbten sie sich rosig. Vom Hals bis zur Brustspitze eine Bahn mit auf dem Leib klebenden, hellroten Blümchen. Die Knospe wölbte sich heraus.
Anna hat immer die rosigen Knospen der Schwägerin betrachten müssen.
Die Knospe an der jungen Brust von Arnolds Frau.

Anna wirtschaftet in ihrer Küche. Sie singt und trocknet Besteck. Sie wirft die Gabeln, die Löffel, die Messer in die Besteckschublade. Das Scheppern ist bis zur Buche zu hören.
Anna steht schon in der Löwenküche. Arnold schneidet Fleisch, klopft es, würzt es, während Anna Salatsauce verquirlt und singt. Sie stehen einander nie im Weg, öffnen Kühltüren, hantieren, gehen hin und her, aneinander vorbei um den Herdblock in der Mitte der Küche. Sie streifen sich nie. Ein Küchenballett. Man möchte sich in eine Ecke kauern und zusehen. Die Klapptür fliegt auf und zu. Bestellungen werden gerufen, dampfende Schüsseln hinausgetragen, leeres Geschirr wird in die Abwaschmaschine gefüllt.

Ein Glück und eine Seligkeit, und so geht es jahrelang weiter.

Arnolds Frau trägt immer die Hutglocke. Und das Ridicule von Annas Mutter hängt an ihrem Arm.
Was Anna gehöre, scheine Arnolds Frau als ihr Eigentum zu betrachten. Die Nähmaschine, den Salon, den Keller, die Kleider, den Hut, die Federboa, die Schuhe. Alles eignet sie sich an. Die viel zu weiten Stiefel schlappen bei jedem Schritt um ihre Waden, zerren einen Zipfel des langen Batisthemdes in den Schaft.
Am Arm das Ridicule schwingend, schlurft sie herum. Wind bläht das Batisthemd über den Stiefeln auf.
Die Leute aus der Siedlung, wie sie schauen. Sie erkennen in der Verrückten Arnolds Frau.
Anna ruft.
Arnolds Frau tut, als könne sie unter der Hutglocke nichts hören.
Die Blümchen auf dem Hemd treiben Blätter. Sie wachsen rascher als alle Pflanzen im Garten.
Anna wird mich für einen neuen Busch halten. Er ist über Nacht gewachsen. Sie wird im Löwen die Ranken und Herzblättchen nachzeichnen. Und den ganzen Abend muß Sunny Linsi ans Wachsen und Duften in Annas Garten denken. Aber sie will den Garten nicht betreten. Sie mag das wilde Wachsen und Blühen nicht. Eine Frau, wie Sunny Linsi, weiß was sie will.
Sie rückt vom Zimmer über der Wirtewohnung ins Schlafzimmer vor. Und Arnold teilt der Schwester mit, er werde die Gaststube nicht sandstrahlen lassen. Es entspreche nicht mehr seiner Absicht. Der Vorschlag

seiner Schwester ist hinfällig. Er und Sunny haben andere Pläne. Wir, sagt er, machen es so, wie es uns gefällt.
Sunny Linsi habe viele gute Ideen. Sie kümmere sich um alles. Seine Frau habe nie Initiative gezeigt, während die Schwester an allem Anteil genommen habe. Viel zu viel Anteil, wie ihm jetzt scheine.
Sunny Linsi ist es, die ihm den Rücken stärkt, die ihm in die Rippen boxt, flüstert, du bist jetzt den Kinderschuhen entwachsen, Arnold. Teile dies deiner Schwester mit, jetzt am Telefon, sag ihr das!
Klaren Wein undsoweiter, kein Hampelmann sein, uns Frauen doch alle in der Hand haben, uns alle an Schnüren tanzen lassen. Einer wie du, Arnold.
Sunny Linsi kann Annas Aquamarine aushalten. Sie kräuselt spöttisch den Rosenmund. Sie ist aus Stahl. Sie beugt man nicht.
Und das Kind? fragt Anna.
Das Kind wird Anna gefälligst im Löwen lassen und zurückfahren. Es findet kein Platzwechsel statt, sag das deiner Schwester. Der Platz sei schon besetzt. Da war eine schneller.

Einige Male fliegt das Entenpaar über den Teich hinweg. Das Kind stürmt jubelnd an seiner Mutter vorbei zum Haus und kehrt mit seiner Tante an der Hand zum Teich zurück.
Nach ein paar Schlaufen lassen die Enten sich auf dem Teich nieder. Sie schlittern mit den Flossen über die Wasserfläche und sinken und gleiten noch eine Weile vorwärts.

Ikaros und seine Frau.
Das Kind und die Tante im Schilf unterhalten sich flüsternd, damit die Enten nicht erschrecken. Das Warten, das endlose Warten in diesem Sommer, wäre sonst vergeblich gewesen.

Frau Moser wird morgen beerdigt. Blumenschalen stehen auf dem Tisch vor dem Hof, wo Mosers früher die Sonntagsspaziergänger erwarteten. Leute aus der Siedlung haben die Schalen gebracht.
Morgen kommt Arnold.
Seine Frau wandert im Kreis.

Sie stuhlen im Löwen schon auf. «Auf Wiedersehn» spielt Rocky-Kid, «auf Wiedersehn» singt eine Dame und tänzelt, sich drehend und Kußhände werfend, hinaus.
Der Herr mit Hut klettert vom Barstuhl und geht. Der Wirt neben der Tür reicht dem Vorsitzenden die Hand. Rocky-Kids Evergreens sind gut angekommen.
Lachend und mit aufgestützten Armen, den prallen Geldbeutel vor sich, lehnt Sunny Linsi über ihre Theke. Als wollte sie nie wieder Platz machen, sich von keinem vertreiben lassen. Sie blickt aus dem Fenster, wo jederzeit Figuren bei den Steinlöwen auftauchen können, Frau, Mann, Kind. Aus der Landschaft kommend durchs Städtchen heraufspazieren. Und größer werden. Und auf einem Scheibenquadrat nicht mehr Platz finden. Sie sprengen den Rahmen. Gleich müssen sie die

Samtvorhänge teilen, sie machen eine Schwimmbewegung und stehen da.
Sind Sie Sunny Linsi? fragt die Frau.
Ich bin die Aushilfe, dies ist mein erster Abend. Sind Sie die Wirtin, oder sind Sie die Schwester?
Ich bin die Ausgedachte, antwortet die Frau. Ich bin die eine oder die andere. Ich bin, was Sie wollen.
Und schon dringt sie hinter die Theke, geht einfach durch das Gatter, als wäre da keine Schwingtür, und sagt, bitte machen Sie Platz!

Es ist angenehm, in Annas Wohnküche zuzusehen, wie geschickt Anna sich bewegt.
Nichts denken müssen, zu nichts nütze sein müssen, nichts erreichen wollen.
Ein Korb Wäsche zum Bügeln steht auf zwei Stühlen. Der Latz des Kindes obenauf.
Warum Anna dies alles für ihren Bruder tut?
Das Zischen des Eisens, wenn Anna die Hitze mit feuchtem Finger prüft. Die feuchte Wärme des gebügelten Wäschestapels. Als wäre man nie aus Mutters Küche weggegangen und müßte nie hinaus.
Ich muß mit dir reden, sagt Anna.
Das Eisen gleitet über den Latz, von den Ecken zum Halsausschnitt und den eingerollten Bändeln entlang.
Nicht antworten müssen jetzt. Nie im Leben mehr den Mund aufmachen. Unter dem Zelt von Annas Nachthemd, die umschlungenen Knie wiegen. Denken, daß man immer hier kauern und zusehen möchte, wie Anna Kinderwäsche bügelt, faltet und sorgfältig aufeinanderstapelt.

Mit Arnolds Frau sei es hier draußen nicht besser geworden. Bei aller Mühe, bei aller Schonung, aller Rücksichtnahme. In den Löwen gehört eine Frau, die den Betrieb zu leiten versteht. Davon war oft die Rede. Ob man das einsehe?
Ja, sagt die Wirtin.
Ob klar sei, daß Anna das beste will?
Das sei klar.
Die Wirtin wickelt die Haarsträhne um ihren Finger und zieht sie über die Nase.
Sie sagt, früher als ich noch Wirtin war. Nein, früher als ich Arnolds Frau war. Sie schüttelt die Haarlocke. Sie versucht den Satz noch einmal.
Früher als mein Kind mit jeder Kleinigkeit zu mir gelaufen kam. Sie schaut auf, sie hat vergessen, was sie sagen wollte.
Wie jung du mit Zöpfen wirkst, Anna.
Beim Bügeln hüpfen sie vor den Brüsten. Anna ist wenig älter als Arnold, jeder vergißt das. Sie könnte mit Arnold verheiratet sein. Anna wendet die Ärmel von Arnolds Hemd auf die Außenseite, wirbelt den Stoff über den Kopf und fegt damit den letzten Strauß vom Regal. Zerbröselt, zerfleddert, zerknickt liegt er auf dem Küchenboden.
Das Wort Scheidung fällt.
Und für das Kind ist es das beste, wenn es bei seiner Tante bleibt. Vorläufig bleibt das Kind bei mir.
Ob das der Schwägerin einleuchtet?
Sie nickt. Sie knetet ihre Zehen.
Mit Besen und Schaufel kehrt Anna den Strauß zusammen und wirft ihn fort.

Kur nennen wir die Wochen und Monate, die jetzt folgen. Wir sind vernünftig und gehen freiwillig. Niemand weist uns ein, wer weist uns denn ein.
Das Gift wird unserem Körper entzogen, der Kopf wird klar. Das Haar wächst nach und wird glänzend wie das Fell von Annas Hunden. Wir lauschen dem Vortragenden vom Blaukreuzverein, werkeln, basteln und lassen Gott in unsere Herzen.

Die Wirtin sitzt im Treppenhaus in dieser Nacht. Sie zieht die Puppe mit den halbzugedrückten Augen nicht an den kalten, gipsernen Armen unter den Efeuranken hervor, um sie zu wiegen. Sie läßt sie, zwischen Topfpflanzen, so als Zier.
Könnte es angenehm sein, in einer solchen Lage zu erwachen?
Anna steht plötzlich im Lichtkeil. Ein Zopf hängt über ihre Schulter. Und wortlos erhebt sich Arnolds Frau und läßt sich von Anna in ihr Zimmer führen.

Die Trauergäste versammeln sich vor Mosers Hof. Die Wirtin zieht ihr Spitzenkleid an. Das lange, schwarze Kleid, das sie in den ersten Tagen bei Anna geschneidert hat. Sie lackiert den Kopf. Er schimmert wie Glas.
Sie wandert über den Gartenweg. Die Tüllrüschen wischen über den Kies. Sie wirft die Hutglocke in den Teich. Zwischen den Seerosenblättern schwimmt er als Blume. Die Wirtin setzt sich ins Ruderboot und wartet auf Arnold. Er muß sie sehen, wenn er kommt, diesen schwarzen Fleck vor dem Haus. Andere sehen ihn auch.

Die Ruder sind eingehängt, bereit einzutauchen. Sie fährt über das grüne Meer von Annas Garten. Muscheln tanzen auf den Wellen und werden an Land gespült. Sie sitzt da, aufrecht, glanzlackiert in ihrem Schiff. Eine Puppenfrau, müssen die Trauergäste denken. Lebensgroß, den Blick in die Ferne gerichtet.

Das Kind schreit. Die Enten erheben sich aus dem Teich und fliegen über die Obstbäume fort, hinaus aus dieser Landschaft. Bis zum Zaun rennt das Kind seinen Enten nach.
Es klammert sich an das Maschengitter und schaut zu den fortschwirrenden Punkten. Sie werden immer kleiner. Die Frau im Boot wischt sich über die Augen. Da sehen die Trauergäste, daß sie lebt.

Ein persönliches Programm

Christoph Geiser
Wüstenfahrt
Roman

Wüstenfahrt erzählt von einer Reise durch die Wüste von Arizona. Doch ist der Titel auch eine Metapher für das Ende einer Beziehung, die an der Konvention, am vermeintlichen Zwang, Gefühle zu verschweigen, zerbricht.

Jeroen Brouwers
Versunkenes Rot
Roman

Im Augenblick des Todes der Mutter erinnert sich der Sohn zurück an die Zeit, die er als fünfjähriges Kind zusammen mit seiner Mutter in einem japanischen Lager auf Java interniert war. Aus dem Kind, das scheinbar unversehrt aus der Erfahrung von Hunger, Tod, Krankheit und Folter hervorgegangen ist, ist ein von Ängsten und Schuldgefühlen geplagter Erwachsener geworden, dessen Beziehung zur Mutter, zu Frauen für immer gestört ist.